Рус)6-44

*Серийное оформление А.А. Воробьева*



**сано в печать с готовых диапозитивов 07.12.01.**
**т 84×108 1/32. Печать высокая с ФПФ. Бумага**
**фская. Усл. печ. л. 16,8. Доп. тираж 10 000 экз.**
**Заказ 2225.**

ый полет одинокой блондинки: Легкомысленны
мурный роман. В 2 т. Т. 2 / Э. Тополь. — М.: ООС
о АСТ», 2002. — 313, [7] с.

010271-2 (Т. 2)
008912-0

й полет одинокой блондинки» — это легкомысленный авантюрн
. В основу приключений его главной героини легли подли
жизни русских девушек в нынешней России и на Западе
ы асов криминального бизнеса.

УДК 821.161.1
ББК 84(2Рос=Рус)6-44

**2 (Т. 2)**
**0**

С О Б Р А Н И Е

ТОП

УДК 821.161.
ББК 84(2Рос=
Т58



**Подпи**
**Форма**
**типогра**

**Тополь Э.**
Т58 Свободн
авантюрно-а
«Издательств

ISBN 5-17-
ISBN 5-17-

«Свободный
амурный роман
ные истории из
подлинные афер

**ISBN 5-17-010271-**
**ISBN 5-17-008912-**

Том второй

# Бомба для Бен Ладена,
или
# Последний танец

## Часть девятая

# Бомба для Бен Ладена

# 99

1997–1998 годы, закат популярности генерала Александра Лебедя и его отставка с поста председателя Совета безопасности России.

На одной из своих парижских пресс-конференций генерал делает сенсационное заявление о том, что в арсенале российских Вооруженных Сил имеется двадцать ядерных чемоданчиков, то есть миниатюрных ядерных бомб, которые можно спрятать в обыкновенном атташе-кейсе. Но они обладают такой разрушительной силой, что с помощью одного чемоданчика можно запросто уничтожить Париж, Лондон или Нью-Йорк. Это оружие, говорит генерал, являлось абсолютным секретом Советского Союза, его никогда не упоминали ни в каких переговорах по сокращению ядерного вооружения, и эти миниатюрные бомбы никто не сокращал, они по сей день находятся в распоряжении Кремля.

В Париже это сообщение произвело эффект не меньший, чем взрыв самой ядерной бомбы. Все европейские вечерние газеты, радио и телевидение муссировали эту новость и писали, что если такое оружие действительно существует, то оно представляет собой колоссальную угрозу для всего человечества.

А российское правительство тут же выступило с опровержением и назвало заявление Лебедя рекламным трюком отставного генерала.

Однако в Министерстве обороны РФ, которое осаждали журналисты, от комментариев воздержались...

# 100

В московской мусульманской мечети шел утренний намаз. Мулла нараспев произносил слова молитвы, а человек сорок мусульман, стоя на коленках, вторили ему, кланяясь на восток. Среди них особым рвением и совершенно немусульманским обликом выделялся молодой мужчина с красиво посаженной головой и аристократической статью в фигуре. Это был Красавчик. Как все неофиты, он истово твердил слова Корана, гневно призывал смерть на головы врагов правоверных, а по окончании намаза скромно, как все, поднялся с коврика, прошел к выходу из мечети, надел там обувь и собрался уйти.

Но к нему подошел мулла.

— Салам, брат мой! — сказал он с акцентом. — На два слова прошу тебя. Ты у нас уже месяц молишься, но лицом ты не похож на мусульманина.

Красавчик горестно усмехнулся:

— Аллах наказал меня не только таким образом.

— А как еще, брат? — участливо спросил мулла.

— С детства и до последних времен я не знал мудрости Аллаха, двенадцать лет носил у сердца партийный билет, был секретарем партийной организации.

— Неужели? Это ужасно... Да, тяжел порой путь к истине.

— Но теперь я нашел дорогу к Аллаху и вере своих предков. Нет Бога, кроме Аллаха, и Магомет — пророк его. Аллах акбар!

— Аллах акбар! — заверил его мулла и поинтересовался: — Где же ты был секретарем парторганизации?

— Да так... — нехотя признался Красавчик. — В Институте плазмы.

И, смиренно наклонив голову, ушел.

Мулла долго смотрел ему вслед.

# 101

Институту физики плазмы демократизация России на пользу не пошла. Со времен советской власти здание ни разу не ремонтировалось, лабораторное оборудование обветшало, а немалая часть сотрудников разбежалась в поисках стабильной зарплаты или уехала за рубеж. Проще говоря, институт хирел и влачил, и это бросалось в глаза даже в его коридорах, по которым Красавчик шел в сопровождении замдиректора по хозчасти, — на полу коробился потрескавшийся линолеум, стены обшарпались, тусклые лампочки едва тлели под потолком...

— Возле нашего института действительно нет продовольственных магазинов, — говорил на ходу замдиректора. — А метро далеко...

— Вот именно! — подхватил Красавчик. Он был в ударе, обворожителен и энергичен. — Такие люди — ученые, элита мировой физики! — а вынуждены таскаться с авоськами, сумками! Но если вы дадите мне в аренду хотя бы пару комнат, любых — например, этих... — Широким жестом Красавчик показал на ближайшие двери и шагнул к ним, заступив за блекло-белую полосу, протянувшуюся по полу вдоль всего коридора.

— Назад! — бросился к нему замдиректора.

— В чем дело? — изумился Красавчик.

Замдиректора, обхватив Красавчика руками, столкнул его назад за полосу и все еще держал в обхват, боясь выпустить.

— Уфф... Стойте тут...

— Да отпустите! Что с вами? — вырвался Красавчик.

Замдиректора смутился:

— Извините... Я не в этом смысле...

— А что случилось?

— Это я рефлекторно, простите...

Но Красавчик продолжал смотреть на него с подозрением.

Тот принужденно признался:

— Понимаете... это же Институт физики плазмы. Здесь у нас... Ладно, придется сказать, а то вы подумаете про меня не знаю что. Мы тут в числе прочего создаем один лазерный аппаратик, а тира для стрельбы лазерным лучом у нас, конечно, нет. Ну и используем этот коридор, видите эту черту? За нее нельзя заступать, там во время экспериментов стреляют лазерным лучом из того конца коридора в этот. Не всегда, конечно, а только во время опытов. Но вы же знаете, сейчас с электричеством перебои, и сирена даже во время опытов не всегда срабатывает. Так что прошу на эту линию не наступать...

— Ясно. Спасибо, что хоть сейчас предупредили, — расслабился Красавчик и тут же перешел к делу: — Значит, вот мое предложение. Вы сдаете мне в аренду пару комнат с выходом на улицу, и я тут открою небольшой супермаркет с самым элитным набором продуктов. Ваши сотрудники будут иметь скидку. А если у вас есть материалы по конверсии — ну, я не знаю, какие-нибудь лазерные скальпели для медицины или еще что, — можно наладить их коммерческую реализацию к нашей с вами *взаимной*, как вы понимаете, выгоде. Ну, нехорошо, когда такая наука и в таких условиях!..

— М-да... Ко *взаимной* выгоде — это бы неплохо... — понимающе произнес замдиректора. — Но как быть с секретностью? Вам нужно допуск оформить...

— Нет-нет! — успокоил его Красавчик. — Никакого допуска мне не нужно! Вы мне дадите пару комнат здесь, в административном корпусе, вот и все, без допуска в лаборатории. И мы с вами с этой стороны все перекроем, тем более что тут лазерами стреляют. А с наружной стороны мы из одного окна сделаем выход на улицу и будем торговать в одной комнате продуктами, а в другой несекретными разработками конверсии — на *паритетных*, конечно, началах, как партнеры. Понимаете? — И Красавчик снова выразительно посмотрел замдиректора в глаза.

— Ну, в общем, бухгалтерию, конечно, можно уплотнить... — задумчиво вымолвил замдиректора.

Красавчик тут же обнял его за плечи:

— Вот! Приятно иметь дело с умным человеком! Но у меня есть другая идея. А что у вас в помещении бывшего парткома?

Завхоз испуганно отшатнулся:

— Что вы! Мы там ничего не трогаем. А вдруг, знаете ли...

— Ни-ког-да! — заверил его Красавчик. — У меня абсолютно точные сведения: этого мы *никогда* не допустим!

## 102

В последующие дни в действиях Красавчика трудно было уловить какую-то логику.

Он побывал в модельном агентстве «Элита-Люкс», где прежде работала Алена, и поговорил с хозяйкой...

На Черемушкинском рынке закупил две сумки продуктов и с этими продуктами поднялся по обшарпанной лестнице многоквартирного дома на улице Вавилова в большую, но нищенскую, с вытертыми половиками квартиру подслеповатого старика астматика, который едва дышал испорченным ингалятором...

В баре «Мариотт-отеля», что на Тверской, подошел к столику, за которым сидели Долинюк и Петровская, представился и заговорил с ними...

В аптеке купил дорогой импортный ингалятор с баллончиками «easy breeze» и в квартире на улице Вавилова вручил этот ингалятор старику астматику. Старик схватил ингалятор, жадно вдохнул воздух и облегченно распрямился, слезы благодарности появились в его глазах...

В Охотном ряду подошел к «ауди» председателя правительственной комиссии приватизационных аукционов, заговорил с неприветливым водителем, ожидавшим хозяина у подъезда Госдумы, и мимолетным жестом положил ему в карман пиджака зеленую купюру, после чего водитель стал куда разговорчивей...

Вывел старика астматика во двор его дома на улице Вавилова и, греясь с ним под солнцем на лавочке у детской песочницы, стал читать старику «Известия» с фотографией генерала Лебедя на парижской пресс-конференции...

В вестибюле гостиницы «Ленинградская» поговорил с администратором, который вручал Алене и председателю правительственной комиссии ключ от номера...

А затем вместе с председателем Фонда поддержки воздушных путешествий в защиту мира и прогресса руководил грузчиками, которые по лестнице дома на улице Вавилова поднимали новую мебель — диван-кровать, стол, стулья, телевизор... В распахнутой двери этой квартиры их встречал старик астматик, показывая, куда нести мебель. Проходя по квартире, грузчики с удивлением озирались — это была не просто большая, а, прямо скажем, барская четырехкомнатная квартира, но почти пустая и запущенная, с множеством выцветших фотографий на стенах. Красавчик и председатель, идя за грузчиками, задержались у этих фото, стали разглядывать их. На фотографиях крепкий молодой мужчина был запечатлен в обнимку с Хрущевым, Брежневым, Микояном, Келдышем, и при некотором усилии можно было догадаться, что старик астматик и есть этот мужчина. Рядом с фотографиями висели дипломы лауреата Ленинской премии и Героя Социалистического Труда. Красавчик и председатель переглянулись.

— Удивительно, что его из этой квартиры еще не выкинули, — заметил председатель и спросил: — Как тебе тут? Может, еще что нужно?

— Нет, теперь нормально, — ответил Красавчик. — Правда, тараканы, но... Месяц перетерплю...

Председатель усмехнулся:

— Любишь кататься, люби и...

— Игра стоит свеч, — подтвердил Красавчик.

## 103

Первые признаки логики в действиях Красавчика проявились, когда он добрался до психиатрической клиники на Песчаных улицах. В сопровождении одетого в халат главврача он шел по больничной аллее и, не доходя до проходной, остановился у огромной клумбы с цветочным панно «Георгий Победоносец убивает Змея». В клумбе возились два десятка больных — ножницами стригли траву, то есть шерсть коня Георгия Победоносца... вручную выдергивали сорняки... камушками выкладывали надпись и белили эти камни известкой... а в контур, создающий фигуры Георгия и Змея, высаживали новую рассаду... Некоторая замедленность в движениях, расплывшиеся фигуры, выпяченные губы и выпученные глаза выдавали в этих больных безнадежных дебилов.

— А это трудотерапия, — сказал про их работу главврач. — Как видите, они у нас каждый день на свежем воздухе. Кроме того, трехразовое питание и психотропные медикаменты...

Красавчик, присмотревшись, узнал в одной из больных Алену. У нее был такой же, как и у остальных, отсутствующий взгляд, пустые глаза, серое распухшее лицо. Случайно взглянув на врача и Красавчика, она отвернулась, не узнав Красавчика, и стала копаться в земле.

Красавчик повернулся к главврачу:

— А это излечимо?

— Что вы имеете в виду?

— Ну, ее можно вылечить?

— У нее суицид. Мы держим таких на аминазине, чтобы не буянили. А лечить... Настоящие лекарства стоят валюту, а у нас 46 копеек на больного в день.

— А если ее снять с аминазина?

Врач пытливо посмотрел Красавчику в глаза:

— Вы ей кто?

— Близкий друг.

— Но вы же понимаете, индивидуальный подход требует...

— Конечно, — сказал Красавчик и положил главврачу в карман зеленую купюру. — Пожалуйста, никакого аминазина и только индивидуальный подход. Я приду через три дня.

И Красавчик ушел, только из проходной оглянулся на Алену. Она по-прежнему отрешенно копалась в клумбе-панно.

А второй признак логики в действиях Красавчика выявился в ближайший вечер во время очередного намаза в мечети. Вместе со всеми правоверными Красавчик согбенно и истово помолился, затем, по окончании службы, поднялся с колен, аккуратно свернул свой коврик и пошел, как все, к выходу надевать обувь. Походка и весь его внешний вид разительно отличались от его обычного поведения — здесь, в мечети, они выражали скорбь и придавленность жизнью.

В двери мечети к нему подошел мужчина лет сорока, в хорошем костюме и дорогом галстуке, представился, сказал, что его зовут Расулла. Вместе они вышли во двор, ведя светский разговор.

— Да, вы правы, — говорил Расулла, — только через любовь можно прийти к Аллаху. Но одной любви мало, нужна чистота от всякого себялюбия. Путник не может достучаться к Аллаху, пока внутри его существуют отдельно Аллах и отдельно он, путник. Вход к Аллаху — это выход из двойственности.

Красавчик в ответ произнес задумчиво:

Для любящих — племен и званий нет.
Влюбленный ближе к небу, чем аскет.
Зачем мудрец, что знаньем окружен,

Хранит ревниво груз былых времен?
Сними с него его бесценный хлам,
И он не много весить будет сам.

Расулла, подходя к воротам мечети, улыбнулся:

— Приятно услышать слова маулана[1] Ибн аль Фарида из уст новообращенного. Вы на машине?

— Нет, на метро.

— У меня машина. Позвольте, я вас подвезу, — предложил Расулла и, когда они ехали по Москве, продолжил: — Мне нравится ваше стремление постичь мудрость Аллаха. Такое упорство нуждается в поощрении. У нас есть фонд помощи братьям по вере.

— Спасибо, брат. Я не нуждаюсь.

— А чем вы занимаетесь?

— Наукой и торговлей.

— Одновременно? Интересно, где можно этим заниматься одновременно?

— В своем институте...

Расулла вопросительно скосился на Красавчика, тот с явной неохотой пояснил:

— Кроме работы в лаборатории, я взял в аренду помещение бывшего парткома, открываю там свой бизнес.

— И чем будете торговать?

— Изделиями по конверсии... Мне сюда, пожалуйста, на Вавилова.

Расулла свернул на улицу Вавилова и спросил с улыбкой:

— А что могут делать по конверсии в Институте плазмы? Плазменные зажигалки?

— Почему зажигалки? Всякие несекретные технологии — лазеры для медицины, к примеру. Ну, я приехал, спасибо.

Расулла остановил машину.

— Не стоит благодарить, мы же братья. Знаете, я подумал: может быть, мы у вас тоже что-нибудь купим для нашей медицины. Вы заметили номер моей машины? Я пакистанский дипломат.

---

[1] Маулана — учитель.

оставались пустыми и смотрели на Красавчика с полным безразличием.

— Я могу погулять с ней в парке? — спросил Красавчик у главврача.

Но и в больничном парке ему все не удавалось оживить этот безучастный манекен.

— Хочешь анекдот? — старался он. — Врач говорит больному: «Скажите, когда вы почувствовали себя собакой?» А больной отвечает: «Когда я был щенком»...

Алена и бровью не повела.

— Гм... А такой анекдот?..

Он рассказал, наверно, с десяток анекдотов и своих козырных историй, которыми он привык смешить девушек от Москвы до Парижа, но теперь это не работало, Алена оставалась глуха и безучастна.

— Хорошо! — сказал он, подходя к больничной проходной. — А я тебе рассказывал историю про блины? Не рассказывал? Слушай, в Монте-Карло, в ресторане отеля «Де Пари» читаю в меню: «Блины по-русски». Думаю: о, это то, что надо! Правда, цена — 3 тысячи франков, это почти четыреста долларов. Но думаю, ладно, за любовь к родине надо платить...

— Блины... — вдруг произнесла Алена, перебив его. — Блины... Я хочу блины... Я хочу есть... — И по ее щекам потекли слезы.

Красавчик посмотрел на нее, и, кажется, впервые за все время их знакомства в его глазах появилось нечто более глубокое, чем азарт и легкость игры.

— Так это... Так это вы тут от голода пухнете? — догадался он потрясенно. — Стой здесь! Стой и не двигайся! Я сейчас!..

Пятясь и оглядываясь, он быстро вышел через проходную на улицу, голоснул первой же машине и стремительно уехал.

Алена послушным истуканом стояла на месте, глядя, как поодаль больные возятся в клумбе-панно. Медлительно и заторможенно, как роботы, они выдергивали сорняки, сажали рассаду, красили камушки...

Но когда Красавчик на той же машине вернулся и, держа в руках несколько разноцветных воздушных шаров и коробку с пиццей, проскочил в проходной мимо охранника, Алены уже не было.

— Алена! — растерянно оглянулся он и увидел ее в клумбе-панно — она работала там вместе с другими больными. Он побежал к клумбе. — Алена!

Она разогнулась, увидела шары и... улыбнулась.

Но тут какой-то коротышка-больной, оставив работу, подбежал к Красавчику, выхватил у него связку шаров и, счастливо захохотав, выпустил их в небо под радостный смех остальных дебилов.

В тот же день в кабинете главврача Красавчик положил на стол еще одну зеленую сотенную купюру и прижал ее пресс-папье.

— Я хочу вывести ее в город.

— Да вы что! — всплеснул руками врач. — Она же пациентка психбольницы! Суицид!..

— Под мою ответственность, — мягко перебил Красавчик и опять полез в карман за деньгами.

— Нет-нет, больше не надо!

— Ничего, не помешает. — Красавчик сунул под пресс-папье еще сотню. — Но вы же знаете, сейчас милиция на каждом углу. Дайте мне ее паспорт.

Врач, вздохнув, порылся в сейфе, достал два паспорта.

— Здесь общегражданский и заграничный. Один должен остаться у меня.

— Мне общегражданский. — Красавчик взял один из паспортов.

— Но только до вечера! — предупредил врач. — Вечером она должна быть...

— Будет, — заверил Красавчик. — Я вернусь за ней через час.

Но приехал за Аленой в больницу не через час, а через три, проведя эти три часа в Институте физики плазмы. Там, в бывшем помещении парткома, ему пришлось задержаться, наблюдая, как рабочие выгребают с книжных полок стопки книг Ленина — Сталина — Брежнева и брошюры с постановлениями ЦК, снимают со стен портреты членов Политбюро и достают из шкафов переходящие красные знамена победителей социалистического соревнования, вымпелы ударников труда и чугунные бюсты Кирова и Володарского. Весь этот мусор, пролежавший тут «на всякий случай», теперь бестрепетно уходил на свалку.

Красавчик сорвал с карнизов пыльные бархатные шторы и выглянул в окно. За окнами была городская улица, пешеходы, движение машин.

— Замечательно! — воскликнул он и объяснил бригадиру рабочих: — Дверь в коридор мы заложим, этот подоконник долой, тут будет выход прямо на улицу! В этой комнате ставим прилавки и холодильник, тут будет мой кабинет и подсобка...

— Постойте, — вмешался замдиректора по хозяйственной части. — Сначала мы должны оформить контракт на аренду.

— Конечно! Вот на этот паспорт. — Красавчик подал ему паспорт Алены.

Завхоз открыл его, прочел:

— Бочкарева Алена Петровна. А кто это?

— Это мой менеджер. Она тут будет торговать и вести все дела.

— Но ей всего восемнадцать лет...

— Дорогой мой! Нынешняя молодежь в восемнадцать лет знает больше, чем вы в сорок. Можете не сомневаться! — И Красавчик, открыв свой атташе-кейс, стал подавать завхозу деловые бумаги с печатями. — Вот гарантийное письмо из банка. Вот наш банковский счет — тоже, между прочим, на ее имя. И вот, — он стал отсчитывать стодолларовые купюры, — раз, два, три... пять... восемь... десять — вот арендная плата за три первых месяца. Прошу!

Завхоз посмотрел на деньги, потом на деловые бумаги и паспорт Алены у себя в руках... и взял деньги у Красавчика.

А Красавчик, повернувшись к окну, впился взглядом в инкассаторский броневик, который выезжал из КПП института в сопровождении двух машин охраны. В кабине броневика рядом с водителем сидел крупный рыжий мужчина с лицом, отлитым из железобетона...

— Какое сегодня число, дорогой? — спросил Красавчик у завхоза и посмотрел на часы.

Часы показывали 15.42.

А еще через час, сидя за столиком в кафе «Елки-палки», Красавчик наблюдал за Аленой. Она опустошила уже две полные салатницы с закусками, глубокую тарелку с супом и теперь корочкой хлеба подтирала соус на абсолютно пустой тарелке из-под мяса по-строгановски. И, только отправив эту корочку в рот, подняла глаза на Красавчика и облегченно вздохнула:

— Спасибо... Но я говорю «нет».

Он удивился:

— Что «нет»?

— Я не знаю, зачем я тебе опять нужна, но мой ответ: нет.

Красавчик посмотрел ей в глаза.

Но в ее глазах уже не было той наивной влюбленности, с которой она смотрела на него раньше. Теперь это были глаза пытливой и взрослой женщины, которая видит его насквозь. Он смутился:

— Я же еще ничего не сказал!

— Это не важно...

Они вышли из кафе и пошли по улице.

— Во что бы ты меня ни втянул, — продолжала Алена, — всегда страдаю я. Я сидела в испанской тюрьме, я была заложницей у Коромыслова... Хватит.

— Подожди! — возражал он. — На этот раз тебе абсолютно ничего не грозит! Даже если мы провалимся, тебе ничего не будет — ведь ты сумасшедшая, ты в психбольнице. Понимаешь?

Алена остановилась.

— Так вот зачем я тебе нужна... Как сумасшедшая...

Он смутился опять:

— Нет, я не это имел в виду!

Алена горестно усмехнулась:

— А что? Я ведь и действительно сумасшедшая — любить такого мерзавца.

— Ну зачем так...

— Ничего, ты очаровательный мерзавец. Рассказывай.

— Что?

— Что ты придумал.

— Как? Ты же только что...

— Я передумала, рассказывай.

— Гм... Передумала? Но имей в виду: эта операция требует ювелирной точности! Значит, так...

## 105

Ресторан «Белое солнце пустыни» на Трубной страдает лишь одним недостатком — в нем нет портретов Рустама Ибрагимбекова и Владимира Мотыля, которым он обязан своим названием. Зато все остальные достоинства их фильма тут налицо — восточный колорит, восточное убранство, восточная музыка и жирная восточная еда в немереных количествах.

Красавчик и Расулла сидели в углу, на ковре, за низеньким столиком, скрестив по-восточному ноги. Официантки в ярких азиатских нарядах подавали им шашлыки, чай, люля-кебабы, чай, плов и снова чай.

— Как идет ваш бизнес? — поинтересовался Расулла.

— Скоро открытие магазина, хочу вас пригласить, — ответил Красавчик, отпивая чай из пиалы.

— Обязательно приду. Значит, несекретные технологии будете продавать?

— Да, все понемножку...

— А секретные?

Красавчик, поперхнувшись чаем, рассмеялся.

Расулла, глядя на него, тоже засмеялся, потом сказал:

— Кстати, о секретах. Что вы думаете о заявлении генерала Лебедя?

Красавчик нахмурился:

— Лебедь слишком много болтает.

— Да, — поспешно согласился Расулла, — нам он тоже не нравится. Если что-то заявляешь, докажи, будь мужчиной! А так... Только людям голову морочит! У меня из-за этого такие проблемы! Начальство просто с ума сошло — есть у России ядерные чемоданчики или нет? — И Расулла испытующе посмотрел на Красавчика.

Но тот сделал вид, что не понял намека, проводил глазами смазливую официантку и вздохнул:

— Замечательный ресторан. Сам я сюда еще долго не смогу прийти...

Расулла усмехнулся:

Растить в душе побег унынья — преступленье,
Пока не прочтена вся книга наслажденья.
Лови же радости любви и красоты.
Жизнь коротка, увы! Лови ее мгновенья!

Красавчик принял этот восточный вызов и ответил:

Опасайся плениться красавицей, друг!
Красота и любовь — два источника мук.
Ибо это прекрасное царство не вечно.
Поражает сердца и — уходит из рук.

Расулла с удовольствием поднял рюмку:

— За наше мусульманское братство! Аллах акбар!

— Аллах акбар! — поддержал его Красавчик.

## 106

Под знакомые музыкальные аккорды на телеэкране возникли титры популярной передачи «В поисках истины», а сразу после них — хроникальный отрывок из выступления генерала Лебедя в Париже, где он сообщил, что в наследство от Советского Союза современная Россия получила двадцать чемоданчиков с портативными ядерными бомбами. Затем возникло лицо Арсения Сусалова, известного телевизионного ведущего, который сказал:

— Добрый вечер, дорогие телезрители. Сегодня наша передача посвящена поискам истины в той сенсации, которую породило это заявление генерала Лебедя. Вот комментарии ученых, вот что сказал нам академик Егор Игнатьевич Шухов, ученый секретарь Академии наук.

И академик Шухов, стоя на фоне здания Академии наук, гневно произнес:

— Я вам авторитетно заявляю: это, извините, полный бред! Нет никаких ядерных чемоданчиков и не может быть — так же как нет и не может быть красной ртути, вечного двигателя, ковра-самолета и скатерти-самобранки. Это все фольклор, солдатский эпос!

— А вот что сказал командующий Ракетными войсками стратегического назначения генерал-лейтенант Ионов, — сообщил Сусалов, стоя на ступеньках парадного входа Минобороны.

— Бравирование мифическими секретами, — заявил Ионов в своем генеральском кабинете, — не имеет под собой ничего, кроме желания Лебедя снова обратить на себя внимание. У него просто жажда покрасоваться на страницах газет. Нет у нас и никогда не было никаких ядерных чемоданчиков, это просто чушь...

Шагая в поисках истины по улицам Дубны, Сусалов продолжил:

— В Дубне, от академика Подгорцева, замдиректора Института ядерных исследований, мы услышали примерно то же самое.

— Если бы такие чемоданчики производились, — усмехнулся Подгорцев, — поверьте, мы бы об этом знали. А еще точнее, мы бы принимали участие в их разработке. Все-таки мы — головной Институт ядерных исследований, верно? Но у нас никогда ничего подобного не было даже близко. И вообще, ну какие чемоданчики?! Это же элементарная безграмотность! Любому школьнику известно, что только защита плутония от самораспада весит несколько тонн. Чемоданчики! Ха!..

После этого Сусалов переместился в телестудию.

— Итак, дорогие зрители, кажется, мы с вами можем спать спокойно и не шарахаться на улице при виде каждого чемоданчика. И кремлевские власти, и ученые, и военные в один голос заверяют, что никаких ядерных чемоданчиков нет и не было. Привиделось это генералу в Париже. Кому, как говорится, мальчики кровавые в глазах, а кому — чемоданчики... И не стали бы мы занимать ваше время этой ерундой, если бы не вспомнили, как несколько лет назад один из ближайших сотрудников Ельцина заявлял о том, что красная ртуть все-таки существует. Более того, как показало парламентское расследование, этот сотрудник сам принимал участие в продаже красной ртути за границу. И потому мы пошли дальше, стали искать истину и — уже в который раз! — убедились, что все-таки нет дыма без огня. Вот интервью с ученым, которое говорит само за себя.

С этими словами Сусалов повернулся к сутулому старику, который сидел в студии спиной к камере. Тяжело дыша и постоянно пользуясь ингалятором, старик произнес:

— Да, действительно... Я занимался этой темой... И не только я... Это была большая программа... В нее вбуханы миллиарды... А Лебедь ошибается только в одном. Он говорит о двадцати чемоданчиках с ядерными боезарядами. В то время как я могу сказать совершенно точно... за время существования Советского Союза... было изготовлено сорок семь таких изделий... Эти изделия абсолютно уникальны. Ничего подобного нет во всем мире. Потому что главным компонентом для создания этого ядерного заряда... является жидкий плутоний, который синтезирован в Московском институте физики плазмы. Жидкий, понимаете? Связанный. Для защиты от него не нужны тонны свинца. А больше ни у кого его нет, нигде в мире...

Вслед за этим Сусалов оказался у проходной Института физики плазмы и сказал в камеру:

— Итак, именно здесь, за этой проходной, в Московском институте физики плазмы создано это фантастическое оружие. Но в дирекции института нам отказали в интервью и даже не пустили нас на территорию института. Сказали, что никаких комментариев на эту тему не будет. Так где же истина? За этой проходной или в заявлениях многочисленных хулителей генерала Лебедя? Мы обещаем в следующих передачах докопаться до истины. А сейчас — реклама!

Отвернувшись от телевизора, Красавчик полунасмешливо сказал сидевшему рядом с ним старику астматику:

— Ну что ж, Аркадий Васильевич, лед тронулся. Не за горами и мировая слава!

— Да уж была слава, была... — горестно отозвался старик и подышал ингалятором. — И звания были, и Гертруда, и цацки на пиджак. А что с этого? Вот, ингалятор не могу купить. А ведь он мне даром положен. И все лекарства — даром. А что мне даром дают? Аспирин, да и то российский. И всё. А на хрена мне аспирин? Чай с ним пить?

— А что? Неплохая идея! — согласился Красавчик. — Кстати, Аркадий Васильевич, не в службу, а в дружбу — поставьте чайку...

И пока старик ставил на кухне чайник и заваривал чай, Красавчик снял телефонную трубку, набрал номер.

На загородной подмосковной даче, на поле для игры в бадминтон, прозвучал телефонный звонок, а потом звонкий детский голос: «Папа! Папа, тебе звонят!» Арсений Сусалов прекратил игру и взял трубку радиотелефона:

— Алло!

— Ну что, — сказал ему Красавчик из квартиры старика астматика, — хорошая передачка, нам понравилось.

— Спасибо, — отозвался Сусалов. — Когда увидимся?

— Я сообщу.

— Как скажете. Я, как пионер, всегда готов.

— Я знаю.

Красавчик положил трубку, а старик принес с кухни заварной чайник, стал разливать по чашкам.

— Ладно, Аркадий Васильевич. — Красавчик перешел на деловой тон. — Сказав «а», нужно говорить «б». Родину продавать следует тоже талантливо. Давайте работать.

— Да уж... — согласился старик. — Это она нас бездарно профукала, а я... Я просто хочу получить то, что мне должны. И никого не продавая. — Он взял лист бумаги, сел возле Красавчика и принялся рисовать. — Значит, смотрите. Вот здесь у нас ускоритель, во дворе... Тут, в отдельном здании, — секретная лаборатория... Здесь выездные ворота... Продукция — то есть жидкий плутоний — выходит из этой лаборатории раз в месяц, ее грузят в спецмашину, бронированную, конечно. Вы ее видели. Обычно при ней и охрана — двенадцать человек. В штатском, но все вооружены. Как вы с ними обойдетесь — ума не приложу...

— Обойдусь, — заверил Красавчик. — Вы рассказывайте.

— Ладно... — Старик подышал ингалятором и продолжил, рисуя: — Движение этих машин такое: сначала подходят сюда. Здесь контроль между секретной зоной института и несекретной... Потом, при выезде за ворота, тоже контроль...

— А кто отвечает за охрану броневика?

— Отвечают два офицера — один наш, институтский, второй — принимающий, от потребителя.

— Фамилия вашего офицера? Приметы?

— Его фамилия Костюк. Кирилл Костюк. Очень высокий, рыжий, и морда — как из железобетона. В тридцать лет получил майора — думаю, не зря.

— Так... И сколько он везет этого плутония? В чем?

— За месяц мы получали полкило продукта... Перевозят его в контейнере, который держит в руках Костюк. Контейнеры, конечно, из чистого титана в свинцовой рубашке. Показать?

Красавчик изумился:

— А у вас есть?

— Обижаете, Игорь Алексеевич, — укорил старик. — Я сорок лет в институте оттрубил. Неужели контейнер не слямзил?

Он ушел на кухню, порылся под водопроводной раковиной и вернулся с тремя небольшими контейнерами, похожими на солдатские фляги.

— Вот. Думал в них ценности на огороде хранить. Да какие у меня теперь ценности? Даже медали продал, чтоб лекарства купить...

Красавчик посмотрел на контейнеры, потом на старика, потом снова на контейнеры. И прищурился, как при появлении очередной идеи...

# 107

Прелесть турецкой бани общеизвестна — большое и теплое мраморное ложе, которое, как зуб, уходит своим острым концом под пол, где его нагревают. А вы лежите на этом камне, расслабляясь от его тепла, негромкой восточной музыки и задушевной беседы с друзьями.

В этот день в бане на камне лежали трое: Красавчик, Расулла и его «брат» Джамил, загорелый жилистый мужчина с пронзительными светлыми глазами и волосатой грудью. Хамамчи, банщики-массажисты, сделав им массаж, удалились, Красавчик, Расулла и Джамил остались одни. Расулла негромко сказал:

— Братья, я хочу, чтобы вы нашли общий язык. — И повернулся к Красавчику: — Это очень важно, мой брат специально прилетел из другой страны с тобой познакомиться. Понимаешь?

Красавчик изумился:

— Со мной? Зачем?

— Он тебе сам расскажет. Слушай.

Джамил, однако, начал издалека:

— Сначала скажи мне откровенно: ты лицом не мусульманин, а душой? Душой ты мусульманин? — И он вонзил в Красавчика острый взгляд своих стальных глаз.

— И душой, и сердцем! — заверил его Красавчик. — Аллах акбар!

— Хорошо. Но это на словах. А на деле? Ты можешь на деле доказать, что ты мусульманин? Да или нет?

— Обрезание сделать? Я готовлюсь к этому...

— Правильно. Но нужно шире смотреть! Глобально! Праведный мир, слава Аллаху, обрел свою силу и поднял голову. Мы начали джихад, святую войну с неверными. Американцы, евреи, англичане, немцы — все неверные хотят покорить мусульман, уничтожить нашу веру, закабалить наших детей, развратить их своим телевидением, Интернетом и дискотеками. Ты можешь помочь нам победить неверных!

Красавчик изумился еще больше:

— Я? Каким образом?

— В твоем институте делают жидкий плутоний. Это уже точно известно. Нам нужен этот плутоний.

— Да вы что! Это невозможно! — Красавчик трусливо оглянулся на стены и потолки и засуетился, словно собрался сбежать.

Но Джамил стальной хваткой стиснул его локоть:

— Стой. Не бойся. Говорю тебе как брату: идет великая война за веру. За зеленое знамя ислама. Она проходит через сердце каждого муслима. Вспомни слова Пророка: «Иудеи и христиане — главные враги правоверных! Всех, кто не идет путем Аллаха, надо убивать до тех пор, пока не останется никакой иной религии, кроме ислама!» Ты должен ответить: с кем ты? С правоверными братьями или с неверными?

Красавчик посмотрел на свой локоть, на стальные пальцы Джамила.

— Что я должен сделать?

— Только то, что нужно для победы ислама. Для начала скажи: сколько жидкого плутония нужно для одной бомбы?

— Чистой массы примерно четыреста грамм. Это продукция месячной работы нашей секретной лаборатории.

— Хорошо. Сколько людей нужно купить, чтобы получить этот плутоний?

— Я... я не знаю...

— Думай! — жестко приказал Джамил.

— Ну во-первых, всех купить нельзя...

— Хорошо, — согласился Джамил. — Кого нельзя купить — уберем. Неверные собаки души не имеют. А на остальных полмиллиона хватит? Долларов, я имею в виду.

Красавчик отрицательно покачал головой:

— Нет.

— А сколько?

— Минимум миллион.

Джамил еще некоторое время удерживал в своих тисках его локоть, потом отпустил.

— Хорошо. Но я должен знать каждый твой шаг. Как ты думаешь это сделать?

Красавчик снова оглядел кафельные стены и потолок.

— А здесь действительно можно все говорить?

— Можно, — заверил его Расулла. — Я отвечаю.

— Хорошо, смотрите. — И Красавчик, разом преобразившись из трусливого мусульманина-неофита в матерого бизнесмена, стал пальцем рисовать на влажной стене. — Вот территория института. Здесь ускоритель, здесь секретная лаборатория. Раз в месяц сюда за плутонием приходит броневик с охраной в составе двенадцати охранников и двух офицеров. Вывозят отсюда — сначала через первое КПП, внутри института, потом через второе и — мимо моего магазина — к потребителю. Если купить даже не всю цепочку, а только несколько человек, то вот здесь, в районе магазина, можно подменить контейнер с жидким плутонием на какой-нибудь эрзац, заготовленный заранее. Понятно? — Он прямо посмотрел в глаза Джамилу и стер весь свой чертеж.

Джамил поглядел на Расуллу, на Красавчика, на стертый рисунок на мокрой стене. И снова на Красавчика.

— Ты это давно продумал?

— Конечно.

— И для этого в мечеть ходил?

— Да.

Джамил усмехнулся:

— Гм... Неглупо... Коммунист, а с головой... Значит, миллион?

— Не меньше, — сказал Красавчик, не отводя взгляда.

## 108

Торговля в магазине, расположившемся в помещении бывшего парткома Института физики плазмы, шла бойко с первого дня его открытия. Покупателей — и с улицы, и сотрудников института — привлекали широкий ассортимент продуктов, выставленных в новенькой стеклянной витрине-холодильнике, их удивительно низкая цена и, конечно, молоденькая продавщица в фартучке и крахмальной наколке на голове. Нарезая колбасу, взвешивая сыр или делая фирменные бутерброды, она постоянно слушала то Патрисию Каас, то Земфиру и поводила плечами и бедрами в такт этой музыке, возбуждая у физиков здоровый аппетит к сандвичам «Аленушка» и «пицце-хат». Во время обеденного перерыва тут всегда собиралась очередь, и Красавчик, не стесняясь, надевал фартук и тоже становился за прилавок в роли помощника Алены — резал ветчину и помидоры, подавал соусы, грел пиццу в микроволновой духовке и заваривал кофе в большой кофеварке...

Однажды во время именно такой запарки сюда под видом простых покупателей вошли Расулла и Джамил. Осмотрелись, отстояли небольшую очередь, наблюдая за работой Красавчика и бойким флиртом молодых физиков с разбитной продавщицей, съели по «пицце-хат» с кофе и удалились.

Красавчик проводил их взглядом до выхода и через окно посмотрел, как они уехали в машине Расуллы, потом отер пот со лба и сел на ящик с пивом.

— Что? — сказала Алена.

— Ничего... работай...

А когда запарка спала, ушел в свой кабинет, оборудованный стендом конверсионной продукции, компьютером и прочими атрибутами делового офиса. Здесь же была дверь в маленькую проходную комнатку, бывшую приемную парткома, где когда-то, сразу перед дверью в институтский коридор, сидела секретарша. Хотя Красавчик обещал завхозу института заложить этот выход в коридор, но по какой-то причине то ли забыл это сделать, то ли решил сэкономить на кирпиче. Как бы то ни было, комната эта из приемной превратилась теперь в подсобку, заставленную ящиками с кока-колой и пивом. Тут же стояло и раздвижное кресло-кровать, но едва Красавчик улегся в него и устало закрыл глаза, как из магазина донесся грохот и гром.

Он вскочил и ринулся туда.

Оказалось, что Алена, воспользовавшись отсутствием покупателей, включила радио на полную громкость и, закрыв глаза, стала танцевать в такт новой песне Земфиры.

Красавчик прошел за прилавок, выключил радиоприемник.

В разом наступившей тишине Алена замерла на полутакте.

— Это тебе не дурдом, — недовольно сказал Красавчик. — Здесь институт физики!

— Да? — Она усмехнулась. — Но мне-то что? Я сумасшедшая.

И включила радио — правда, потише.

## 109

Асама Бен Ладен, главный финансист исламского джихада и заклятый враг США, живет, несмотря на свой статус беглеца от ЦРУ, весьма неплохо.

С помощью западной строительной техники в Афганистане, высоко в горах, цепь глубоких сталактитовых пещер переоборудована в комфортабельное бомбоубежище: текинские ковры на полу, электроосвещение от собственной электростанции, компьютеры «Toshiba» и два огромных телеэкрана фирмы «Philips» — на одном постоянно идут новости Си-эн-эн, на другом — биржевые цены на нефть в Токио, Лондоне и Нью-Йорке. За компьютерами круглосуточно, в три смены, работают индусы, одетые по-пуштунски: светлые тюрбаны, светлые шаровары, свободные рубашки с вырезом и хорошо выделанные овечьи безрукавки. Знаменитые доки по части биржевых операций, они ворочают сотнями миллионов долларов, нажитыми Бен Ладеном на арабской нефти, и через подставные фирмы и оффшорные банки легко удваивают и утраивают его состояние, то раздувая стоимость тех или иных акций на мировых финансовых рынках, то сбрасывая эти рынки в пропасти кризисов и рецессий. А затем всю прибыль, получаемую от этих биржевых операций, Бен Ладен не скупясь тратит на взрывы Всемирного торгового центра в Нью-Йорке, уничтожение американских посольств в Африке, содержание тренировочных лагерей террористов и прочие акции священного джихада.

Да, жизнь некоторых людей полна высокого смысла...

Впрочем, порой, дурача ЦРУ, которое постоянно посылает в Афганистан бригады суперкиллеров для ликвидации Бен Ладена, двойник великого маулана Бен Ладена кочует по Афганистану, меняя тайные квартиры, машины, парики...

В тот день, о котором в силу его секретности никогда не расскажут будущие биографы Бен Ладена, в центре пещеры на белом персидском ковре из чистой верблюжьей шерсти сидели сам Асама Бен Ладен, худощавый бородач с темными глазами, офицер его разведки Джамил и пакистанский физик профессор Гази Хамет. Перед ними стоял видеомагнитофон, на котором беззвучно прокручивалась пленка с фрагментом из телепрограммы «В поисках истины» со стариком астматиком, который рассказывал о производстве жидкого плутония для миниатюрных ядерных бомб — ядерных чемоданчиков.

— Неужели ты — такой ученый, профессор! — не можешь сам получить жидкий плутоний? — негромко допрашивал Бен Ладен пакистанского физика.

— Маулана Асама, у нас есть его формула, — почтительно сказал Гази Хамет и написал эту формулу, — вот она. Но в Пакистане нет таких плазменных реакторов, как у русских.

Бен Ладен повернулся к Джамилу:

— Хорошо. Кто этот человек?

— Маулана, — доложил тот, — этот человек двенадцать лет был секретарем коммунистической организации Института плазмы, бывший неверующий, а теперь истовый мусульманин, таких сейчас много в России. Когда кончилась власть коммунистов, он пришел в мечеть и обратился к Аллаху. Восемь месяцев мы обрабатывали его, наставляли на путь ислама...

— Сколько? — нетерпеливо перебил Бен Ладен.

— Три миллиона.

Бен Ладен нахмурился:

— За полкило какого-то плутония?

Джамил поспешно объяснил:

— Это месячная выработка всего Института плазмы, маулана!

Бен Ладен снова обратился к пакистанцу:

— Профессор, из полкило плутония сможешь сделать бомбу в атташе-кейсе?

Тот почтительно кивнул головой:

— Если это будет настоящий жидкий плутоний.

— Что ты имеешь в виду?

— От неверных всего можно ожидать, маулана, — еще ниже склонился Гази Хамет.

— Хорошо, поедешь в Москву с Джамилом.

Пакистанец испуганно отшатнулся:

— Я? Маулана, я не могу! Я ученый, физик!

— Ты мусульманин?

— Да, маулана, конечно, я мусульманин!

— Докажи это. Аллах положил в твои руки судьбу джихада. Если у нас будет эта бомба, мы поставим на колени всех неверных! Помнишь тридцать третью суру Корана? «Неверных надо убивать, а их земля, жилище и достояние переходят к убийцам, даже если нога последних никогда не ступала на эту землю»!

## 110

По утрам, когда в магазине не было посетителей, здесь проходили странные тренировки. Стоя в двери, которая вела из его кабинета в подсобку, Красавчик правой рукой, как гирьку или ведерко с водой, раскачивал в воздухе флягу-контейнер для перевозки жидкого плутония — так, что рука при отлете назад исчезала на миг в комнатке-подсобке, а затем маятником возвращалась обратно.

Но Красавчик был недоволен, говорил:

— Опять не успела! Еще раз!

И снова делал отмашку контейнером.

А в подсобке — в тот момент, когда рука Красавчика возникала в проеме двери, — Алена снимала с его пальцев ушко контейнера и надевала на них ушко другой фляги, точно такой же. Но в движениях Алены не было нужной сноровки и скорости, она либо промахивалась, либо задерживала руку Красавчика, и он говорил:

— Плохо! Промазала! Еще раз!

И повторял отмашку, требуя от Алены точности и автоматизма ассистентов Кио или Дэвида Копперфилда.

По вечерам же, перед закрытием магазина в нем разыгрывалось другое действо — операция под названием «Западня для майора». Но майор Кирилл Костюк — высокий, крепкий мужчина с крупным лицом, сделанным из железобетона, и с плечами, которые распирали пиджак, — в западню не шел.

— Конфеты, — сухо говорил он Алене. — Нет, не эти, а фирмы «Горбуновъ». Так, теперь бананы... Ананас... Виноград...

Алена кокетливо улыбалась:

— У нас свежайшие персики, товарищ майор.

— Не нужно.

— Вы же брали в прошлую пятницу. Не понравились?

— Не нужно.

— А «Гжелку» и «Мальборо» даю, правильно? — И Алена потянулась на верхнюю полку за «Гжелкой», открывая ноги почти до бедра.

Но Костюк хранил на лице железобетон.

— И сок манго, да? — И Алена нагнулась за банкой с соком так, что соблазнительней не бывает.

— Да, — хмуро подтвердил Костюк. — Считайте.

Считая на калькуляторе, Алена, однако, не сдавалась, сказала игриво:

— Это у кого ж такой вкус оригинальный — водку с соком манго? У девушки небось...

— Не важно. Считайте.

— Четыреста девяносто рублей, товарищ строгий майор, и двенадцать копеек.

Костюк положил на прилавок 500-рублевую купюру и огромной лапищей забрал даже мелочь сдачи. Алена через прилавок подала ему пакет с покупками и как бы невзначай коснулась рукой его руки. Но Костюк и на это — ноль внимания, как каменный.

Молодой физик, стоявший за ним, усмехнулся:

— Гвозди бы делать из этих людей...

Костюк с покупками вышел из магазина на улицу, широким шагом пошел к трамвайной остановке. Красавчик проследил за ним через окно своего кабинета и набрал номер на мобильном телефоне.

— Вы готовы? — сказал он в трубку. — Он вышел. Через сорок минут ждите на Алтуфьевском.

Действительно, ровно через сорок минут Костюк вышел из автобуса на Алтуфьевском шоссе и, оглядываясь по сторонам, подошел к одной из 12-этажных башен брежневской поры. Здесь, снова оглянувшись, зашел в подъезд, поднялся лифтом на пятый этаж и позвонил, опять озираясь, в звонок.

Дверь открыла маленькая хрупкая женщина неопределенного возраста в домашнем халате.

— Здравствуйте, Вера Павловна, — почтительно сказал Костюк.

— Здравствуй, Костюк. Проходи.

Костюк с покупками прошел на кухню однокомнатной малогабаритной квартиры, а Вера Павловна ушла в ванную и закрыла за собой дверь. На кухне Костюк выложил на столик свои дары, вымыл под краном фрукты, потом открыл «Гжелку» и банку с соком, налил полстакана водки и доверху долил в стакан сок манго. Тем временем Вера Павловна вышла из ванной преображенной — на ней была строгая длинная юбка и белая блузка, в руке кнут, а на лице жесткое выражение дрессировщицы или школьной учительницы. Щелкнув кнутом, она зашла на кухню.

— Костюк! Ты еще не готов? Ах ты, дрянь такая! Гадкий мальчишка! Ну-ка на место! — И с размаху огрела Костюка хлыстом по спине.

Костюк вдруг как-то ужался в размерах, закрылся руками от ударов и плаксиво заныл:

— Не надо, Вера Павловна!.. Не бейте меня!.. Я больше не буду!..

Но Вера Павловна продолжала бить его кнутом.

— Будешь! Будешь! Я тебя знаю, онанист несчастный! Вечно подглядываешь! Марш на место!

Сжавшись еще больше, Костюк трусливо прошмыгнул мимо нее в комнату.

Вера Павловна щелкнула ему вслед кнутом, обернулась к столику, залпом выпила полстакана смеси водки с соком манго и закурила «Мальборо». Сделав несколько затяжек, крикнула в соседнюю комнату:

— Ты готов?

— Готов, Вера Павловна! — отозвался Костюк.

— Я иду! — грозно предупредила она, допила водку с соком и пошла в комнату.

Здесь, среди старой стандартной мебели обнищавшей школьной учительницы, у двери на балкон торчал ящик-клеть из-под овощей, как в продовольственных магазинах. В этой клети стоял на четвереньках абсолютно голый Костюк, его одежда была аккуратно сложена на диване. Прильнув глазами к щелям клети, Костюк ел взглядом вошедшую Веру Павловну. А она изо всех сил ударила хлыстом по ящику.

— Ах вот ты где! — И заперла ящик. — Опять подглядывать? Может, для тебя и раздеться?

— Да! Да, Вера Павловна! — нетерпеливо и восторженно закричал в ящике Костюк. — Хотя бы блузку снимите! Ну пожалуйста!

— Ах ты, развратник несчастный! — Вера Павловна снова ударила хлыстом по клети и одновременно стала расстегивать кофточку. — Ну, смотри, смотри, Костюк! — И новый удар обрушился на клеть. — Я ведь твоему отцу все расскажу! — И еще удар. — За учительницей подглядывать! — Опять удар. — Ну, что тебе еще снять?

— Лифчик, Вера Павловна! Лифчик!..

Вера Павловна снова огрела клеть хлыстом и стала расстегивать лифчик, но тут жуткий грохот в прихожей прервал этот лирический дуэт. Там, в прихожей, с треском распахнулась выбитая входная дверь, в квартиру ворвались бойцы ОМОНа, телеоператор с камерой на плече, его ассистент с подсветкой и ведущий телепрограммы «В поисках истины» Арсений Сусалов.

В комнате их ждало примечательное зрелище: запертый в клети голый майор Костюк, а перед ним полуголая учительница с хлыстом в руках. Пользуясь их испугом и растерянностью, Сусалов стал возле них перед телекамерой и заговорил:

— С помощью милиции и ОМОНа наша программа раскрыла садомазохистский вертеп, который находится на Алтуфьевском шоссе. Сейчас мы представим вам хозяйку этого заведения и ее клиентов...

Тут, однако, в квартиру стремительно вошел Красавчик и властно обратился к Сусалову и телеоператору:

— Стоп! Выключить свет! Кассету!

Оператор послушно извлек кассету из камеры, отдал Красавчику.

— Всем — вон! — приказал Красавчик. — Вышли! Вышли!

Все — и омоновцы, и телевизионщики — поспешно вышли из квартиры, а Красавчик уселся на стул перед клетью с дрожащим Костюком. Держа в руках кассету и постукивая по ней пальцем, Красавчик сказал:

— Итак, майор. На тебя мне плевать, но учительницу жалко. Даже если ты завтра застрелишься, ей от позора житья не будет. Но у меня к тебе есть деловое предложение.

## 111

И был день, и был вечер...

В 15.38 в секретной лаборатории Института физики плазмы майор Костюк и майор Прошутин, представитель заказчика, расписались в получении контейнера с 473 граммами жидкого плутония, и майор Костюк браслетом-наручником пристегнул этот контейнер к своей левой руке.

В 15.40 они в сопровождении десяти вооруженных охранников вышли из секретной лаборатории во двор института, и Костюк с контейнером в руке сел в инкассаторский броневик, а Прошутин с остальными охранниками — в две машины сопровождения.

В 15.41 броневик в сопровождении машин охраны прокатил по двору института, прошел проверку на внутреннем КПП, отделявшем строго секретные лаборатории от нестрого секретных, и двинулся дальше, к воротам и наружному КПП. Но майор Костюк вдруг приказал водителю:

— Стой! Минуту! — Затем, выскочив из броневика, он крикнул Прошутину в машину сопровождения: — Секунду! Я за куревом! — И, не дожидаясь ответа, убежал в помещение административного корпуса.

Прошутин изумленно посмотрел ему вслед, но из машины выйти поленился.

А Костюк, пробежав через коридор административного корпуса к двери бывшего парткома, толкнул эту дверь, которая оказалась почему-то незапертой, и оказался в проходной комнатке-подсобке кабинета Красавчика. Здесь его уже ждали. Костюк молча протянул Красавчику левую руку с контейнером, тот разомкнул браслет, снял контейнер и, сделав Костюку и Алене знак замереть, ушел с контейнером в свой кабинет.

Там у письменного стола с включенным компьютером стояли Джамил и Гази Хамет.

Красавчик подошел к ним и победоносно поставил на стол контейнер-флягу с жидким плутонием.

Джамил потянулся к контейнеру, но Красавчик перехватил его руку и сжал с такой силой, что Джамил удивленно поморщился от боли.

— Минуту! — сказал Красавчик. — Баш на баш!

Джамил посмотрел на свою руку, потом на Красавчика и усмехнулся:

— Не доверяешь, брат?

Красавчик молчал.

— Хорошо, отпусти руку, — сказал Джамил и поставил на стол тяжелый атташе-кейс. — Можешь проверить.

Красавчик открыл атташе-кейс, а Джамил кивнул Гази Хамету на контейнер.

В атташе-кейсе ровными рядами лежали пачки стодолларовых купюр в банковской обертке. Но Красавчик не поленился, стал вскрывать одну пачку за другой. Обмана, однако, не было, доллары были настоящие.

А Гази Хамет тем временем достал из кармана какой-то аппаратик со щупом, открыл пробку контейнера и вставил в него щуп аппаратика. Прибор — нечто вроде дозиметра — начал пощелкивать, и цифры на его экранчике закрутились, стремительно увеличиваясь. Дождавшись, когда они замерли, Гази Хамет по-арабски сказал Джамилу:

— Это плутоний.

Но Красавчик неожиданно отнял у него контейнер и завинтил крышку.

— В чем дело? — спросил Джамил.

— Еще сто тысяч, — потребовал Красавчик.

— Какие сто тысяч? — изумился Джамил. — Почему?

— У меня были непредвиденные расходы. Еще сто тысяч — или все отменяется.

Джамил вспылил:

— Да я тебя убью!

Размахивая контейнером, словно гирькой или ведерком с водой, Красавчик сказал:

— Не смеши меня. Убьешь — живой отсюда не выйдешь. Еще сто тысяч!

Джамил сменил тон:

— Слушай, брат! Мы же мусульмане! Правоверные. Мы же договорились...

Но Красавчик, отступив к двери в проходную комнату, толкнул ее спиной и, продолжая размахивать контейнером, остановился в этой двери, говоря:

— Еще сто тысяч. Или забирайте ваши деньги и уходите. Всё!

На этом слове его рука с контейнером на миг исчезла в проходной комнатке-подсобке, где Алена мгновенно заменила этот контейнер точно таким же, и рука Красавчика с уже подмененным контейнером тут же вернулась в кабинет, зависла в воздухе, а Красавчик сказал:

— Это мое последнее слово! Еще сто тысяч!

Между тем Костюк с контейнером, вновь прикованным к его левой руке, и с пачкой «Мальборо» в правой руке уже выбежал из административного корпуса, сел в броневик и закурил дрожащими от стресса руками. Броневик в сопровождении охраны, ревя мотором, покатил к воротам КПП.

А в кабинете Красавчика Джамил посмотрел на контейнер, зависший на руке Красавчика, потом — с ненавистью — на Красавчика, затем полез в карман пиджака и презрительно бросил на стол еще пачку денег.

— На! — сказал он и выругался: — Акзывы сыким!

— Свою мать сыким! — отозвался Красавчик.

Несколько мгновений они буравили друг друга глазами, потом Джамил снял контейнер с руки Красавчика и направился к выходу. Гази Хамет последовал за ним.

Красавчик, опередив их, открыл замок и запоры наружной двери.

— Fuck you! — презрительно бросил Джамил ему на прощание.

— Fuck yourself, — усмехнулся Красавчик и постоял в двери, наблюдая, как Джамил и Гази Хамет бегом побежали к машине, в которой их ждал Расулла. А когда машина с Джамилом, Хаметом и их «бесценным» грузом отъехала, он запер дверь и с криком «Аллах акбар!» вернулся, пританцовывая на радостях лезгинку, в свой кабинет.

— Алена! — позвал он и вдруг осекся, глядя на свой стол.

На столе лежал распахнутый и совершенно пустой атташе-кейс.

Красавчик в недоумении захлопал глазами и только теперь заметил на экране компьютера надпись:

Я СУМАСШЕДШАЯ,
МНЕ ЗА ЭТО НИЧЕГО НЕ БУДЕТ!

Красавчик бросился в подсобку — проходную комнату кабинета, но там было пусто, только дверь в институтский коридор была настежь открыта. Конечно, он стремглав помчался по этому коридору и выскочил из парадного подъезда на улицу. Но не нашел ни Алены, ни денег.

## 112

Исчезновение Алены с миллионом долларов вызвало настоящий переполох в Фонде поддержки воздушных путешествий в защиту мира и прогресса. Стоя у полуподвальной парадной двери фонда во дворе дома на Васильевской улице, сам председатель фонда распоряжался операцией по перехвату беглянки и один за другим отправлял со двора джипы, «мерседесы» и «БМВ».

— Все перекрыть! Вокзалы, аэропорт, выезды из Москвы! Ищите эту выдру! Из-под земли, но найдите!

Но найти беглянку в Москве не так-то просто, тем более прошедшую школу в самом фонде. Алена трижды сменила «леваков», прежде чем на стандартных грязно-желтых «Жигулях» подъехала к своей психбольнице. Однако здесь у проходной уже стоял джип с коротко стриженными качками, и Алёна, сидя на заднем сиденье «Жигулей», тут же нырнула на пол, зашипела оттуда молоденькому худенькому шоферу в бейсбольной шапочке и линялой майке:

— Газу! Газу! Не останавливайся!

Шофер, изумленно оглянувшись на Алену, нажал на педаль газа, машина проскочила психбольницу, и шофер повернулся к Алене:

— Куда ехать?

— На вокзал.

— На какой?

— Не знаю... На Рижский...

Но и на парковке у Рижского вокзала Алена, зажав в ногах увесистую хозяйственную сумку, углядела «мерс» с братками и поспешно сказала шоферу:

— Проезжай! Проезжай!

— А теперь куда?

— Не знаю. Поехали! — И только на проспекте Мира, наткнувшись взглядом на вывеску «Салон красоты», приказала: — Стой! Останови вот тут, у салона!

Шофер затормозил. Алена спросила:

— Слушай, тебя как зовут?

— Максим.

Сунув руку в хозяйственную сумку, Алена достала сто долларов и протянула Максиму:

— Максим, будь другом, зайди в салон и купи парик. Если не хватит, я еще дам.

— Какой парик? — удивился он.

— Да любой! Не важно! Хотя нет, важно. Рыжий или каштановый. Ну пожалуйста!

Максим взял деньги и ушел в салон, забыв ключи в замке зажигания. Алена сидела, смотрела то на дверь салона красоты, то на эти ключи и боролась с искушением. Потом, приняв решение, откинулась на сиденье и расслабилась.

Максим вышел из салона с пластиковым пакетом в руке, сел за руль, посмотрел на забытые в замке зажигания ключи, потом на Алену и... протянул ей пакет.

Желтые «Жигули» отчалили от тротуара и покатили по Москве. Теперь на заднем сиденье машины сидела брюнетка в темных очках. Но и в таком виде Алена не рискнула выйти из машины ни у Ленинградского, ни у Ярославского, ни даже у Курского вокзала. Глядя на торчавшие возле этих вокзалов джипы или «БМВ», она вздыхала:

— Нет, поехали дальше...

— Сколько мы будем ездить? — спросил Максим.

— Не знаю... Едем...

— У тебя проблемы?

— Да.

— С ментами или с братвой?

Алена уклонилась от ответа, сказала:

— Я есть хочу.

— Я тоже.

— Останови тут, у шурпы...

Максим остановился у метро «Курская», возле будок с надписями «Шурпа», «Обмен валюты» и «Продукты». Алена, порывшись в сумке, протянула ему еще сто долларов.

— Пожалуйста, Максим, разменяй и купи нам чего поесть.

Максим вышел, оставив ключи в машине. Алена вместе со своей сумкой перебралась с заднего сиденья на переднее, включила радио, покрутила ручку настройки и буквально через секунду наткнулась на свою возлюбленную Земфиру. Вскоре подоспел и Максим с шурпой и апельсиновым соком.

— А салфетки у тебя нет? — спросила она.

Максим достал из бардачка пару салфеток.

Алена, зажав свою сумку в коленях, расстелила на ней салфетки, и они принялись за еду.

— Земфиру любишь? — спросил Максим, жуя шурпу.

Алена на всякий случай поглядывала по сторонам.

— Ага...

— А по жизни чем занимаешься?

— По жизни? — Алена задумалась. — А правда, чем я по жизни занимаюсь? — И вздохнула: — Да ничем, собственно... Гоняюсь за счастьем...

— Догнала?

Алена усмехнулась:

— Его догонишь! А ты чем занимаешься? Левачишь?

— Да нет, это не главное. Это я на технику работаю.

— На какую технику?

— Ну, я вообще-то студент, но по жизни — музыкант. Группа у нас, четыре человека, я и еще один — мы песни пишем. Вот заработаем на технику, запишем свой диск и будем на радио толкать. Хочешь послушать? У меня на кассете...

— Ага... Слушай, Максим, видишь вон тех, с вывесками на груди? — Алена показала на группу людей с плакатиками «СДАЮ КОМНАТУ», «СДАЮ КВАРТИРУ», «СДАЮ КОМНАТУ НА НОЧЬ». — Можешь их сюда позвать?

— Зачем?

— Ну позови, позови. Я из машины не хочу выходить.

Максим, пожав плечами, вышел из машины и вернулся с тремя из тех, кто сдавал квартиры. Алена довольно быстро разобралась с ними:

— У вас что? Комната в коммуналке? Нет, это мне не подходит. А у вас что? Квартира? Отдельная? На каком этаже? А дверь какая? Простая? Так, понятно. А у вас какая? Стальная? А где? В Лялином переулке? Садитесь, поехали.

## 113

Крохотная квартирка в Лялином переулке была в жутком состоянии — окно не мыто лет сто, полы горбылем, стены в пятнах от вина и пива, потолки в окурках, говорящих об особом шике постояльцев, умеющих щелчком пальцев влепить в потолок наслюнявленный окурок. А из мебели — койка, два сломанных стула и армейская тумбочка.

— Н-да... — сказала Алена хозяину. — А получше у вас ничего нет?

Хозяин нагло осклабился:

— Получше в «Рэдиссон-Славянская», но за другие деньги.

— Хоть бы стены помыли, мебель какую, телик...

— Ага! — усмехнулся он. — Чтобы все вынесли? Я приезжим сдаю. Им что помой стены, что не помой — все равно засрут. Ну, снимаете?

Алена подошла к двери.

— А дверь-то хоть правда стальная?

— Стальная, — сказал Максим. — Я проверил.

Алена осмотрела дверь.

— Ладно. Почем?

— Десять баксов в день, — сказал хозяин.

Алена достала из сумки сто долларов.

— Я беру на неделю. Давай ключи и сдачу!

Хозяин дал ей ключи, отсчитал сдачу рублями и посмотрел на Алену и Максима.

— Ладно, вы, кажись, совершеннолетние. Только кровать не сломайте. И это... Ключи, когда будете съезжать, в почтовый ящик бросьте.

Алена усмехнулась:

— Пока, дядя. Иди.

Оставшись наедине с Максимом, Алена сказала:

— Значит, так, парень. Без глупостей, договорились? Сколько твоя техника стоит?

— Какая техника?

— Ну, на какую ты левачишь.

— А, «Ямаха»! «Ямаха» — две тысячи баксов...

— Хорошо. Получишь на «Ямаху», если мне поможешь. Вот задаток. — Алена протянула Максиму триста долларов.

Но Максим, не прикасаясь к деньгам, осведомился:

— А что нужно сделать?

— Да ничего особенного, не бойся. Перво-наперво поставить тут новый замок. Потом купить еду, постельное белье и два мобильных телефона — тебе и мне, но оба на твое имя. Дуй! Вот бабки. Хотя нет, стой... — Алена заглянула в ванную. — Ну и срач!.. — Она взяла под раковиной ведро, наполнила его водой, сняла с вешалки полотенце и замочила. — Значит, купи еще пару новых полотенец и моющие средства. Но имей в виду: я номер твоей машины запомнила. Если ты меня кинешь...

— Я не кину, клянусь.

Подоткнув юбку, Алена принялась мыть пол.

Максим уставился на ее заголенные ноги.

Алена распрямилась с мокрым полотенцем в руках:

— Езжай, ослепнешь!

Максим, крутанув головой, ушел.

После произведенной Аленой уборки квартира слегка преобразилась — в ней стало чище, уютней. На тумбочке, накрытой доской, появились еда из кулинарии, бумажные тарелки, пиво и фрукты. На кровати лежали два новых мобильных телефона и всякая хозяйственная мелочь, купленная расторопным Максимом, — полотенца, салфетки, мыло, пакеты с постельным бельем. Сидя за импровизированным столом и поглощая крабовый салат, Максим рассказывал:

— В результате она уехала в Париж и — с концами. А я никогда за границей не был и не понимаю, чего туда все ломятся? Что там, медом намазано? У нас ведь такая любовь была!

— И ты не знаешь, где она там? — спросила Алена.

— Она одну открытку прислала. Из какого-то «Бандуша». А потом — все, как отрезало.

— А у тебя загранпаспорт есть?

— Есть, конечно. Мы же вдвоем туда собирались, даже визу оформили. Но она выиграла конкурс, а я нет. И ведь уехала-то всего на неделю. А уже третий месяц... Ну вот скажи: можно вам доверять?

— А вам?

— Не знаю. Мне можно.

Алена глянула на него испытующе:

— Да? А ты хотел бы ее найти?

Он усмехнулся:

— Ну откуда у меня бабки?! И как там искать? Языка я не знаю.

— Язык я знаю. Как искать — тоже. Остаются деньги. Выбирай: «Ямаха» или Париж? За мой счет.

— Серьезно, что ли?

— Я должна туда улететь, и чем скорей, тем лучше. Можем полететь вдвоем, я беру на себя все расходы. Что скажешь?

— А на хрена я тебе нужен?

— Значит, нужен. Согласен?

Он ухмыльнулся:

— Интересно, а кто бы отказался?

## 114

В кабинете главврача психбольницы Максим поставил на стол красивую бутылку «Курвуазье».

— Это вам от моей сестры Алены Бочкаревой. Она благодарит вас за хорошее отношение и просит, чтобы вы отдали мне ее паспорт.

— Спасибо. — Главврач спрятал бутылку в стол. — Но знаете, я же не могу вот так, просто первому встречному. А она сама-то где?

— Она уехала. Но я могу соединить вас по телефону, она подтвердит.

— Ладно, я вам верю. Да вы и похожи. Посидите тут. Я должен выписать ее из больницы, это займет минут десять...

Главврач вышел из кабинета, пересек коридор и, зайдя в ординаторскую, снял телефонную трубку и набрал номер.

— Это Фонд поддержки воздушных путешествий? Добрый день, мне председателя, это из больницы... Здравствуйте, это я. Да, тут пришли за ее паспортом. Да, подержу...

Через двадцать минут, когда Максим бодро вышел из проходной больницы, сел в свои желтые «Жигули» и тронулся, следом за ним покатили еще одни «Жигули» — серые и малоприметные. Но он не видел их и лихо рулил по Москве, рапортуя Алене по мобильному телефону:

— Привет, это я! Паспорт я взял, еду за билетами... «Эр Франс», я помню... — И, бросив беглый взгляд в зеркальце заднего обзора, заверил: — Нет, все чисто, не бойся! Я еще позвоню, пока!

В агентстве «Эр Франс» очередь была минут на шесть. Максим предъявил два паспорта, уплатил за два билета до Парижа, со счастливой улыбкой на лице выскочил из агентства с билетами в руках, включил в машине свою любимую станцию «Монте-Карло». Но, выезжая на Садовое кольцо, глянул в зеркальце заднего обзора и нахмурился — эти серые «Жигули» за кормой он уже где-то видел. Проверяя себя, Максим резко сменил рядность, потом ушел круто вправо, однако серые «Жигули», лавируя в потоке машин, не отставали.

— Блин! — вслух сказал Максим. — Ну ладно!

И, включив музыку на полную громкость, круто свернул в переулок, погнал проходными дворами.

Но серые «Жигули» шли за ним.

Тут у Максима зазвонил мобильный, и, ведя машину одной рукой, он второй рукой поднес к уху телефонную трубку.

Алена, сидя в Лялином переулке на подоконнике арендованной комнаты, сказала в трубку своего мобильного:

— Алло, это я. Ты где?

Максим, проскакивая какими-то дворами, возбужденно ответил:

— За мной погоня, но я от них оторвался! Сейчас я за тобой заеду! Ты готова?

— Будь осторожен!

— Да не бойся! Я же в автодорожном учусь! Быстро спускайся! И не забудь ключи в почтовый ящик...

На этих словах его желтые «Жигули» выскочили из арки проходного двора и на полной скорости врезались под кативший по улице грузовик. Грохот и скрежет раздался такой, что Алена оглушенно отвела трубку от уха. И тут же закричала в нее:

— Алло! Алло! Максим! Максим, отвечай! Ты жив?

Ответа не было.

Алена спустилась с подоконника на пол.

— Ну пожалуйста, отвечай... Максим...

А на место аварии, к разбитой в лепешку машине Максима, уже мчались, воя сиренами, «скорая помощь» и патрульная машина милиции. При их появлении серые «Жигули» не спеша укатили...

В телефоне Алена услышала вой сирен и обреченно опустила трубку.

Слезы покатились по ее лицу.

## 115

Назавтра Алена, держа в руке свою увесистую хозяйственную сумку, открыто шагала по Васильевской улице, направляясь в Фонд поддержки воздушных путешествий.

А там дежурный охранник, стоя перед шестью экранами видеокамер, увидел ее на одном из экранов и не поверил своим глазам. Потом схватил телефонную трубку, набрал короткий номер.

— Она идет!

— Кто идет? — не понял председатель фонда, сидя в своем кабинете.

— Алена идет! Бочкарева!

— Где? Куда она идет?

— По Васильевской! К нам! Уже заходит!

Алена действительно уже открывала дверь фонда.

— Что? Что делать? — в панике спрашивал охранник. — Задержать ее?

— Почему? — сказал председатель. — Она же не Степашин. Пусть идет.

Алена между тем миновала изумленного охранника и шла по коридору. Из всех дверей на нее глазели сотрудники фонда, секретарши и боевики. Она уверенно распахнула дверь приемной, спокойно миновала вскочившую со стула секретаршу и вошла в кабинет председателя.

Тот встал и, глядя на Алену в упор, медленным движением стал опускать правую руку к карману.

Алена, не обращая на это внимания, подняла над его столом свою хозяйственную сумку и вытряхнула из нее на стол гору денег.

— Вот ваши гребаные бабки! А Красавчику скажите, что он все равно гнида!

И, отшвырнув сумку, ушла.

## Часть десятая

# Родная кровь

## 116

Деревня Хорёнки, дом бабы Феклы. Под руководством крепко сбитого главаря с цепью на шее и короткой прической крутые бритоголовые парни снимают со стен все, что висит в доме, и через окна выбрасывают вместе с мебелью, одеждой, посудой, семейными альбомами и прочей рухлядью.

— А с этим что? — спрашивает главаря один из парней.

— На помойку!

— А с этим?

— В костер!

Во дворе горит костер, парни бросают в него все вещи, вынесенные из дома. Одежда, фотографии, мебель, какие-то мелкие украшения и домашние реликвии — все превращается в дым и копоть...

## 117

По дуге железной дороги поезд катил по России. И снова Алена сидела в сидячем вагоне, набитом людьми, и смотрела в окно остановившимся взглядом. Только теперь за окном были не зимние пейзажи, а багряная осень...

И через багряно-осенний лес прокатил Алену скрипучий автобус и высадил на развилке дорог у столбика с дощечкой:

*ДОЛГИЕ КРИКИ. 5 км*

И попутный грузовик довез до Черных Грязей, а там она спустилась со своим чемоданом к реке, к причалу парома. И первое, что услышала тут, — песню-частушку, которую орали девчата и парни, плывущие на пароме от Долгих Криков вместе с трактором и прицепом. Но нынче это было уже не Аленино, а новое поколение, и среди них — повзрослевшая Настя и ее ухажер, пятнадцатилетний цыганский мальчик Руслан. Настя — под гармонь тракториста — голосила:

Если Ельцин не дает
Ходу демократии,
То народ его пошлет
В Зюганову партию!..

И вдруг пресеклась на полуслове.
— Ой! Алена...

Спрыгнув с едва причалившего к берегу парома, Настя, напоказ голося от счастья, бросилась обнимать Алену и шептать ей на ухо:

— Как тебе мой Руслан? А? Правда красавчик?

Трактор с прицепом прокатил мимо, парни и девчата стали звать Настю, а Руслан — громче всех.

— Видишь? У нас любовь. Ну, я побежала! — Настя умчалась за прицепом, но вдруг повернулась на ходу: — Ой, забыла! Баба Фекла умерла.

Алена опешила:

— Как умерла? Стой!

Но Настя, догнав прицеп, с помощью Руслана и других ребят влезла в кузов, и трактор покатил прочь, выписывая вензеля в поле цветущего клевера и оглашая округу очередной частушкой:

Раньше были трудодни
И поля зеленые...

Что стало теперь с зелеными полями, Алена уже не расслышала, да и не очень интересовалась — весть о смерти бабы Феклы оглушила ее. И даже на кладбище, стоя у свежей могилы с сосновым крестом и фотографией бабы Феклы, Алена все не могла поверить в эту смерть и озиралась вокруг, словно ждала, что вот-вот из-за той или этой надгробной плиты выйдет баба Фекла и скажет ей что-то...

Но говорила не Фекла, а мать. Прибирая могилу, очищая ее от мусора и опавших листьев, и потом, когда они, перекрестившись, шли с кладбища по сельской дороге, и даже дома мать все выговаривала Алене:

— Вот, ты ж побрезгала бабкиным завещанием, ускакала в свои заграницы. А твой братец дом-то ее и захватил...

— Какой еще братец?

— А сводный. От твоего отца. У него ж еще сын имеется. Постарше тебя. Он в одиннадцать лет сбежал из дома, а сейчас ему уже тридцать, поди. Бандит по профессии. Когда Фекла болела, видеть ее не хотел и знать не знал. А как умерла, тут же явился и дом себе под дачу и захватил. Изобразил, понимаешь, внука — привез своих бандюганов на кладбище, пролил слезу, а сам даже ограды у могилы не поставил. Если бы я там не прибирала... Ой, у меня же для тебя еще сообщение! Телеграмму я все ношу. Только не могу прочитать, она по-иностранному...

С этими словами мать достала сложенную вчетверо и уже потертую на сгибах телеграмму, отдала Алене. В телеграмме текст был написан от руки и латинскими буквами.

— Чего ж тут иностранного? — сказала Алена. — Здесь только буквы иностранные, а слова-то все русские. «Срочно позвони в Вильфранш, у меня катастрофа, Маргарита». — И расстроилась: — Во блин! Еще и Маргарита!..

## 118

На почте шел ремонт. Виктор, сидя на коньке крыши, самолично крыл ее новым шифером, но, увидев Алену, обрадовался, бросил работу, ссыпался по стремянке вниз.

— Ой, Аленка! Вернулась! Ну как ты? С кем?

— Закажи мне Францию, Витя. Вильфранш, по срочному.

Виктор гордо завел ее в почтовое отделение и поставил перед ней кнопочный телефон:

— А у нас теперь автоматика! Набирай по коду!

Алена набрала восьмерку, послушала, дала отбой и набрала заново...

— А знаешь, — говорил тем временем Виктор, — я тоже снова один. Сердцу, оказывается, и правда не прикажешь.

— Черт! — нетерпеливо сказала Алена, нажимая на кнопку. — Восьмерка занята!

— Может, мы сойдемся с тобой? А, Аленка?

— Ну, если ты меня быстро соединишь, то, может, и сойдемся. — Алена в сердцах бросила трубку на аппарат. — Ну, ты можешь меня соединить?

Виктор удивился:

— Нервная ты стала... Конечно, автоматика у нас еще того, не очень фурычит... — Он взял трубку, набрал какой-то номер и попросил: — Зина, дай мне Тверь по-быстрому. Не можешь? А через Воронеж? Ну, давай через Клин. Кто там сегодня?.. Маша, это Виктор, сделай мне «восьмерку». Спасибо. — И Виктор победно подвинул к Алене телефонный аппарат: — Набирай свою Францию.

Алена набрала длинный номер и закричала в трубку:

— Алло! Марго! Это Алена! Что случилось? Я откуда? Из России! Из Долгих Криков! Что у тебя случилось?

А там, в Вильфранше, Маргарита, сидя на веранде своей виллы, отвечала ей в полной панике:

— Ой, дорогая! Просто кошмар! Банк прислал мне уведомление, что сокращает отсрочку по кредиту. Эти негодяи Жискар и Жан-Клод своего добились! Банк с полугода срезал мне отсрочку до четырех месяцев, и осталось две недели. Мы должны выплатить миллион франков, иначе отнимут виллу! Приезжай немедленно — или я погибну!

— Марго, где ж я возьму миллион? Ты соображаешь?

— Но ты хоть умеешь воевать с этими мерзавцами, а я не умею. Приезжай и верни отсрочку, которая у нас была!

— А через два месяца все равно придется платить!

— Приезжай, я тебя умоляю!

Алена положила трубку и спохватилась:

— Ой, я ж забыла ей про Феклу сказать...

— Может, мы на дискотеку сходим? — спросил Виктор. — А? У нас новая...

Алена, думая о своем, переспросила:

— Что? Чего у вас новая?

— Ну, дискотека. Может, сходим?

— Да какая дискотека! Ё-моё! — в сердцах воскликнула Алена. — Мне во Францию нужно ехать!

— Ну вот! Опять! — огорчился Виктор. — Далась тебе эта Франция! Чем тебе тут плохо?

— Сколько я должна за телефон?

— Да ничего ты мне не должна...

Но Алена открыла сумочку:

— Как не должна? Почта твоя или казенная? Говори — сколько?

— Сто восемнадцать рублей.

Алена достала сто рублей и принялась рыться в поисках мелочи, потом вытряхнула всю сумку на стойку. Из сумки высыпались монеты — французские, немецкие, испанские, русские. Алена стала выбирать среди них рубли, а Виктор, рассматривая иностранные монетки, спросил:

— Это что у тебя?

— Это франк...

— А это?

— Это песо, Испания.

— Да, ты наездила... А это что, с дыркой?

— Ну-ка дай. — Алена взяла у него монетку. — Это тугрик, только фальшивый.

— Как — фальшивый?

Но Алена уже не отвечала, а смотрела на фальшивый тугрик.

— Блин! — произнесла она тихо. — Как же я забыла...

## 119

Когда она подошла к дому бабы Феклы и толкнула калитку, изнутри, со двора на нее бросился огромный пес. Алена отпрянула, пес, натягивая цепь, зашелся в злобном лае, а из дома вышел какой-то тип бандитского вида.

— Чё надо?

— Здравствуй, — сказала она. — Я Алена Бочкарева.

Тип, смерив ее взглядом, исчез в доме, Алена ждала, а пес продолжал лаять и бросаться на калитку до тех пор, пока из дома не вышел здоровенный братан с цепью на шее.

— Пшел! Место! — приказал он псу, и тот, поджав хвост, ушел в будку. Братан повернулся к Алене: — Чё надо?

— Я хочу со своим братом поговорить. Со Стасом.

— Ну, я Стас.

— А я Алена. Здравствуй.

— Ну и чё надо?

Но Алена проигнорировала его грубый тон, улыбнулась:

— Я хотела узнать — может, тут от бабушки что осталось...

— Ничего не осталось.

— Может, фотки какие? Вещи... Она хотела мне фотографии оставить.

— Не знаю. Я все сжег.

— Как — сжег?

— А так. На помойке. Зачем оно мне?

— Да?.. Ну а в дом-то можно зайти?

— Зачем?

— Но это же и моя бабка.

Стас темно усмехнулся:

— Ты откуда взялась? Что — за домом явилась? Или за половиной? Так тут все мое! Я тут родился, поняла? Я тут до одиннадцати лет на каждую доску в заборе ссал! А ты откуда приехала?

— Я из Долгих Криков.

— Вот и вали в свои долбаные Крики! — Он повернулся к собачьей будке: — Козел! Фас!

Пес резво выскочил из будки и бросился на калитку с такой злобой, что Алена испуганно отшатнулась.

А Стас расхохотался и ушел в дом.

— Ладно, блин! — мстительно пообещала Алена ему вдогонку.

Но испечь брату «блин» оказалось не так-то просто. В Твери, в областном суде молоденький длинноволосый юрист с вдохновенным лицом Паганини, положив на стол ноги в американских джинсах и подбитых подковками ботинках, нагло разглядывал Алену и спрашивал, крутя в зубах карандаш:

— Где ваш отец?

— Не знаю, сгинул...

— А кроме него, у вашей бабки сколько детей?

— Никого.

— Значит, отец ваш — ее единственный сын?

— Да.

— Ну и где он? Он жив или нет?

— Я не знаю. Он нас бросил. В детстве.

— Понятно. Значит, ситуация такая, девушка. Пока не определится, жив ваш отец или нет, ни вы, ни ваш брат не можете претендовать на этот дом. Потому что не вы прямые наследники. А прямым наследником является ваш отец.

— Но Стас уже занял дом...

— Я вам, девушка, объясняю с точки зрения закона. Пока нет ясности с прямым наследником, суд не примет дело к рассмотрению.

— Выходит, он там может жить, а я и зайти не могу?

— Выходит, что так. — Паганини соизволил вытащить из зубов карандаш и повернулся к двери своего кабинета: — Следующий!..

* * *

— Мама, кто мой отец? Куда он делся?

Мать, готовя ужин, повернулась от плиты:

— А зачем тебе?

— Нужно.

— Зачем?

— Ма, в конце концов, я же не в капусте родилась! — нервно сказала Алена. — У меня был отец. Кто он? Куда он делся?

Мать подошла к кухонному столу, за которым Настя делала уроки, села, вытерла руки передником.

— Хорошо... Настя, выйди из дома.

— Это еще почему? — сказала Настя.

— Выйди, я сказала!

— Но это ж и мой отец!

— У тебя другой. Выйди.

Настя, собрав учебники, вышла, обиженно хлопнув дверью.

Проводив ее взглядом, мать сказала Алене:

— Твоего отца посадили.

Алена опешила:

— Как это? Когда?

— Поэтому я тебе ничего о нем не говорила.

— А за что посадили? На сколько?

— Посадили его за дурь, за то, что лез куда не надо. И дали по полной, пятнадцать, — с непонятным ожесточением сказала мать. — А выжил он или в тюрьме сгинул — не знаю, он мне не сообщал. Теперь понятно?

— Но, мама, я должна его найти...

Мать, поколебавшись, встала, открыла сундук, переворошила в нем зимние вещи и откуда-то со дна достала пожелтевшую почтовую открытку с фиолетовыми штемпелями.

— Вот все, что я от него имела. За пятнадцать лет.

Алена взяла открытку, прочла на штемпеле: «Инта, п/я 2456-в». Перевернула открытку, на ней прямым жестким почерком было написано всего несколько слов:

***ДОРОГАЯ ТАМАРА! ТАКИМ, КАК Я, СРОК НЕ СОКРАЩАЮТ И АМНИСТИЙ НЕ ДАЮТ. А ПОТОМУ — НЕ ЖДИ, СЧИ-***

*ТАЙ, ЧТО Я УМЕР. БУДЬ СЧАСТЛИВА И БЕРЕГИ НАШУ ДОЧЬ.*

*ПЕТР*

Алена подняла глаза от открытки, посмотрела на мать, увидела, что та тихо плачет, и вдруг догадалась:

— Ма, ты его любила?

Сморкаясь в платок и вытирая слезы, мать тихо сказала:

— А ты... ты думала — я шлюха, вожу сюда каждого!.. А я *его* забыть не могу! Мне после него никто не мил! А он... — Она стала всхлипывать. — Я ему три года писала, а он... Ни разу мне не ответил даже... Вы, Бочкаревы, — камни гребаные!..

## 120

Поезд миновал Котлас, Ухту, Печору и все тянул и тянул на северо-восток вдоль редеющих лесов, потом через какие-то унылые болота, потом по безлюдной тундре и наконец через двое суток привез ее в Верхнюю Инту. На вокзале Алена вышла из вагона с переселенцами, беженцами с Кавказа и бритыми под ноль новобранцами. На пыльной привокзальной площади показала отцовскую открытку одному милиционеру, второму, потом — какому-то престарелому бичу, который ошивался тут у пивного бара, приставая ко всем с просьбой оставить ему «пену допить».

— А на пиво найдешь, дочка? — спросил он, разглядывая открытку.

Алена дала ему десятку, бич сказал:

— Сядешь на шестой автобус, доедешь до конца, там и будет твой лагерь.

Действительно, проехав через Большую Инту, автобус выкатил куда-то в тундру и почти сразу пошел вдоль заборов из колючей проволоки, мимо лагерных зон и бараков. Водитель то и дело объявлял остановки:

— Лагерь пятьдесят второй... Лагерь пятьдесят третий... Лагерь пятьдесят четвертый...

На этих остановках из автобуса выходили в основном женщины с тяжелыми сумками в руках и, меся сапогами топкую грязь, шли к лагерным воротам.

— Последняя остановка, — объявил водитель. — Пятьдесят шестой лагерь. Девушки, вам выходить.

Алена и еще три женщины вышли из опустевшего автобуса и по грязи пошли к проходной лагерного КПП. За воротами КПП, в зоне зеки, одетые в серые телогрейки, строились в колонну перед выходом на работу. Командовали построением низкорослый пожилой майор и молоденький лейтенант.

Алена дождалась своей очереди к зарешеченному окошку КПП, сказала дежурному сержанту:

— Мне Бочкарева Петра Ивановича.

Сержант провел пальцем по короткому списку и поднял глаза на Алену:

— У вас свидание назначено?

— Нет. Но мне его найти надо.

— Найти? А что случилось?

— Ничего не случилось. Я его дочка. Мы его потеряли, понимаешь? Будь человеком, помоги найти.

— Не понял, — сказал сержант. — Он у нас тут сидит?

Алена подала ему открытку отца.

— Что это? — спросил сержант.

— Почитай...

Сержант прочел открытку, посмотрел на штемпель и присвистнул от удивления.

— Дак это ж когда было! Когда тут политзеки сидели. Их давно выпустили, ты чего?!

— Но к нам он не вернулся, понимаешь? Мне нужно знать: он отсюда живой вышел или?..

Сержант смотрел на нее в изумлении, Алена попросила:

— Пожалуйста! Это мой отец. Я его никогда не видела...

Сержант снял трубку со старого телефонного аппарата, потом положил ее на место, встал и ушел из будки в зону, во двор, к низкорослому майору, который командовал построением зеков. Через открытую дверь КПП Алена видела, как сержант козырнул этому майору и стал что-то говорить, показывая то на КПП, то на Аленину открытку. Майор взял открытку, прочел, посмотрел в сторону Алены и, отдав какое-то распоряжение лейтенанту, через тамбур КПП вышел к Алене.

— Здравствуйте. Вы дочь Бочкарева?

— Да.

— Я майор Буров, начальник по режиму. Ваш отец вышел отсюда живой. В восемьдесят седьмом. Я не знаю, что с ним потом сталось, у нас нет таких данных. Но я его помню и могу вам сказать: это исключительный человек! Давайте пройдемся... — И он повел Алену вдоль лагерного забора, говоря: — Понимаете, вы новое поколение, вам трудно понять то время. Раньше тут был лагерь для диссидентов. Точнее, здесь их ломали — сажали к уголовникам, чтобы те их били, опускали. Вы понимаете?

Алена кивнула.

— Нет, — сказал майор. — Вы не понимаете. Но это и к лучшему. Вашего отца не сломали и не опустили. Больше того: он тут пользовался большим уважением. Вы хоть знаете, за что он сидел?

— Нет...

— За самиздат, за инструкцию «Как вести себя в КГБ». То есть это был настоящий правозащитник, серьезный, он объяснял людям, как не ломаться на допросах, не врать и не сдавать своих. И за это ему, конечно, дали по полной, на всю катушку. И выпустили последним, он отсидел от звонка до звонка. Потому что он и здесь стал за зеков права качать, письма писал за них в Верховный суд, в ЮНЕСКО, в ООН. Я тогда только начинал тут служить, но хорошо его помню. Стоящий был мужик, настоящий.

— А как же мне найти его?

— То есть он после этой открытки вам больше не писал?

— Нет.

— Даже после выхода отсюда?

— Да.

Майор крутанул головой:

— Кремень мужик... Знаете, что я вам скажу? Попробуйте поискать его через Елену Боннэр.

— А кто это?

— А вот это стыдно, девушка! Это вы должны знать. Боннэр — вдова академика Сахарова. «Мемориал», диссидентское общество. Уж они-то должны его знать...

## 121

«Мемориал», общество победителей коммунистического строя, оказался на удивление бедной и тесной конторой, заваленной стопками пожелтевших брошюр, книгами Солженицына и Буковского, старыми транспарантами «Долой КПСС!» и пишущими машинками образца 70-х годов...

Зато первый же сотрудник, к которому еще в коридоре обратилась Алена, пылко воскликнул:

— Вы дочка Бочкарева?

— Да...

— Товарищи! — вдруг крикнул он на весь коридор. — Смотрите, кто к нам пришел! Дочка Бочкарева! Нет, вы посмотрите, какая красавица!

Из дверей всех комнат стали выглядывать пожилые мужчины и женщины. Они окружили Алену, заговорили наперебой:

— Ваш отец герой!

— Он стольким помог!

— Он меня спас!

— Его же пытали в ГБ! Он никого не выдал...

— Боже мой, я и не знала, что у него есть дети!

— Девушка, как вас звать?

— Конечно, мы знаем его адрес! Он же в Москве.

— Сколько лет вы его не видели? Пятнадцать?! Боже мой!..

— Но вы должны ему помочь...

— Его адрес: Косов переулок, 16, квартира 53.

— Но имейте в виду: он не простой человек...

И вот она поднимается по выщербленным ступеням допотопной лестницы, вдоль грязной стены, украшенной наскальной живописью акселератов... Третий этаж... Четвертый... С каждым шагом ее решимость убавляется, ведь она шла к этой лестнице долгих пятнадцать лет...

Пятый этаж, лестничная площадка, три разнокалиберные двери.

На двери с номером 53 и обивкой из драного дерматина — пять кнопок, под каждой таблички с фамилиями, и на одной из табличек значится:

*БОЧКАРЕВ П.И.*

Алена остановилась перед этой табличкой, перевела дыхание и услышала, как колотится ее сердце. Затем, вздохнув, как перед прыжком в воду, решительно нажала кнопку.

За дверью послышались шаги и осторожный мужской голос:

— Кто там?

— К Бочкареву, — сказала Алена враз осипшим голосом.

— Минуту! Я не одет, минуту!

Шаги за дверью удалились, потом — издали — тот же голос крикнул:

— Входите, открыто!

Алена удивленно толкнула дверь — действительно, было не заперто. За дверью оказался длинный коридор, забитый барахлом пяти семей — тумбочки с обувью, подвешенные под потолком велосипеды, лыжи, корыта и старые чемоданы. Дальше шел дверной проем на общую кухню с пятью газовыми плитами и разномастные двери в комнаты к разным семьям. Из этих дверей выглянули чьи-то лица и тут же исчезли, а по коридору уже спешил небритый мужчина лет пятидесяти пяти в домашних шароварах, пиджаке, надетом на несвежую тельняшку, и в сандалиях.

— Здравствуйте, — сказал он радушно. — Слушаю вас.

Алена смотрела на отца.

— Что же вы молчите? — сказал он. — Чем я могу?..

— Я Алена.

Он протянул ей руку:

— Очень приятно. Бочкарев Петр Иванович.

Алена, глядя ему в глаза, протянула свою:

— Бочкарева Алена... Петровна.

Он автоматически начал:

— Очень... — И тут же пресекся. — Что?! Как вы сказали?

Но Алена молчала, смотрела ему в глаза.

— Вы?.. — Он показал пальцем на нее и на себя. — Ты... ты моя...

— Из Долгих Криков, — сказала Алена.

Он растерялся:

— Да, конечно... — И открыл дверь в свою комнату. — Ну, проходите... Проходи... Дай я на тебя посмотрю...

Пока он смотрел на Алену, она огляделась. Комната Бочкарева оказалась абсолютно пустой, с пятнами на стенах и с лампочкой в патроне без люстры. Окно без шторы и занавески, вытертый дощатый пол, из мебели только голая раскладушка и тумбочка вместо столика. На подоконнике электроплитка, а на полу в углу — телефонный аппарат.

— Красивая, молодец! — сказал Бочкарев, глядя на дочь, и спохватился: — Извини, я тут без мебели. Дело в том... Понимаешъ, я тут затеваю ремонт, мебель вывез... — И странным жестом стиснул левой рукой запястье своей правой руки. — Да ты просто красавица! А сколько тебе лет?

Алена посмотрела на него с укором, он сконфузился:

— Нет, ты не обижайся! Понимаешь, я с детства не в ладах с математикой. А последнее время... Даже не знаю, куда тебя посадить... Они отключили телефон... — Он суетливо поднял телефонную трубку. — Видишь, отключили. Я не могу дозвониться рабочим насчет ремонта... Слушай, ты такая взрослая! Неужели тебе уже?.. — Он почему-то суетливо забегал по комнате и правой рукой перехватил запястье левой руки. — Постой! Не говори! Я сам сосчитаю...

— Па... Отец, я по делу...

Он поспешно ответил:

— Да, конечно! Что я могу? Все, что скажешь...

— Твоя мать умерла.

Бочкарев замер.

— Что?

— Баба Фекла, твоя мама. Уже два месяца как...

Бочкарев отошел к окну, отвернулся от Алены, и вдруг его плечи дрогнули, и Алена поняла, что он плачет.

Она подошла к нему.

— Я... — заговорил он почти беззвучно, не вытирая накативших слез. — Я виноват перед ней... И перед тобой... И перед Стасом... Перед всеми вами... Я... Знаешь, детка, я, оказывается, тоже большевик... Я с ними боролся, да, с коммунистами, но как? Жертвуя вами... И что?.. Что мы отвоевали?.. Что мы отвоевали?.. Боже мой, мама! Прости меня...

Он вдруг стал как-то шамкать, и Алена ожесточилась.

— Отец, я по делу.

— Да. — Он стал поспешно вытирать слезы. — Я слушаю.

— От бабушки остался дом. Ты единственный наследник. Нужно оформить документы, перевести дом на тебя.

— Он мне не нужен, что ты! Пусть будет вам — тебе и Стасику.

— Потом ты отдашь его кому захочешь. Но сначала я должна в него попасть хоть на десять минут. То есть сначала нужно оформить твое наследство.

— Я не могу... Понимаешь, я не могу отсюда выйти... Я это... Я жду ремонтников... — Он схватил трубку, но тут же вспомнил: — Да, ведь телефон отключили! — Его левое плечо странно дернулось, но правой рукой он тут же стиснул его изо всех сил. — Нет. Я никуда не поеду. Я не могу. У меня тут дела.

— Ты можешь дать мне доверенность, я все сделаю сама.

— Доверенность? — переспросил он, странно дергаясь. — Да, это идея! Доверенность! Конечно... Но это... Это же нужно к нотариусу, а сейчас ломка... То есть я хочу сказать: сейчас происходит ломка общественного сознания, а мы не сознаем своей ответственности. Если я выйду в таком состоянии на улицу, это нас дискредитирует. Ведь мы победители! Понимаешь, мы победители, мы не можем так выглядеть!.. Нет, это недопустимо!.. Я не могу выставить тебя в таком свете! Ты — такая красивая, юная — впервые в жизни выйдешь с отцом на люди, а я... Нет, никогда! — Он лихорадочно стиснул себя за оба локтя. — Есть только один способ! Только один способ, понимаешь?

Алена, ничего не понимая, хлопала глазами. А он продолжал лихорадочно, возбужденно:

— Да! Очень простой способ! Улица 25-го Октября, прямо у метро «Площадь Дзержинского», у «Детского мира». Ты приносишь оттуда чек, и мы сразу идем к нотариусу, я подпишу любую доверенность. Сразу! Я обещаю!

— Какой чек? — очумела Алена. — Какая площадь Дзержинского? О чем ты?..

Но он словно обезумел:

— Только там! Только! Тут этого нигде нет! Только на 25-го Октября!

— Отец! Что ты несешь? Сейчас везде есть нотариусы, на каждом углу...

Он перехватил свои локти и стиснул их из последних сил так, что у него побелели пальцы. А он закричал:

— При чем тут нотариусы! Чек мне нужен! Лекарство! У тебя найдется триста рублей? Я тебе отдам! Мне должны в «Мемориале», но я не могу туда дойти... — Он вдруг начал дрожать, перешел на шепот, и Алена увидела наконец, что у него нет половины зубов. А он все просил: — Помоги мне! Дочка! Пожалуйста, мне плохо!.. — Его лоб покрылся испариной, он утер его и тут же снова схватил себя за локти. — Нет! Извини! Я не имею права тебя просить... Но... улица 25-го Октября, прямо возле метро...

— В аптеке? Лекарство?

— Нет, не в аптеке. — Он закрыл глаза и застучал челюстями. — Воз-зле метро... Т-ты увидишь... Они тебя с-сами увидят. Скажешь «Чек», и все... А я... Мне н-нужно лечь...

И, как-то невероятно уменьшившись в росте, Бочкарев упал на раскладушку и задергался, словно эпилептик.

Алена смотрела на него в ужасе, с отвращением.

— Что с тобой?

— Нет! Нет! — вдруг закричал он, невменяемо дергаясь. — Я ничего не скажу!.. Убей меня, красная сволочь!.. Вы бесы, бесы! Вы все исчезнете, все!.. Да, вот мои зубы! Выбей еще! Тьфу на вас!.. Да здравствует свобода! Долой КГБ!.. Тамара, я люблю тебя! Прощай!.. Береги нашу дочь!..

Алена со слезами на глазах выбежала из квартиры и стремглав — вниз по лестнице... на улицу... голосуя машинам... Села в первую же тормознувшую «семерку» и погнала водителя:

— Быстрей!.. На Лубянку!.. К «Детскому миру»!.. Возле метро!.. Стойте тут!..

Но едва она собралась выйти из машины, как к ней тут же подскочил торговец наркотиками:

— Чек? Ампулу?

— Чек, — сказала Алена. — Быстрей!

— Триста.

Алена, не торгуясь, отдала триста рублей, получила крохотный пластиковый пакетик и сказала водителю:

— Назад! Пулей! Гони!

Когда она, задыхаясь от бега по лестнице, влетела с выпученными глазами в комнату отца, Бочкарев сидел в этой комнате в углу, на коленях, маленький, жалкий, с закрытыми глазами, и, раскачиваясь, бился о стены затылком и плечами.

— Папа! — крикнула она.

Бочкарев все так же, на коленях, заторопился к ней.

— Дай! Быстрей! Спасибо! — Он схватил чек. — Не смотри! Отвернись!

Алена отвернулась и стояла, прижавшись спиной к стене и закрыв глаза. Но слышала все — и нетерпеливую возню Бочкарева в тумбочке, и звон металлической кружки об электроплитку, и какое-то неясное сопение отца. Затем, после паузы, прозвучал его голос:

— Дочка, помоги мне...

Она открыла глаза.

Бочкарев стоял у подоконника, у электроплитки — без пиджака, в тельняшке-безрукавке, в его левой руке был шприц. Иглу этого шприца он вогнал себе в правую руку чуть повыше локтевого сгиба, и кровь текла по руке и капала с его локтя на пол.

— Вены уже стеклянные, не могу попасть... — сказал он. — Держи... — И протянул ей шприц с мутным беловатым раствором.

Алена посмотрела на шприц... на отца...

— Быстрей! — приказал он. — Ну!

Алена взяла шприц.

— В вену нужно попасть! — заторопил он. — Давай! Не бойся!

Алена поднесла шприц к окровавленному локтю отца и увидела, что вся зона вокруг локтевого сгиба исколота черными точками.

— Ну, давай, родная! Коли! — взмолился он.

Алена ввела иглу.

Бочкарев поморщился от боли, сжал челюсти.

— Ничего... не то терпели... в вену!.. в вену!!!

Алена нащупала иглой отцовскую вену, проколола ее и стала медленно вводить содержимое шприца.

В колбочке шприца, завихряясь, появилась встречная струйка отцовской крови.

Бочкарев закрыл глаза и по мере получения наркотика стал выпрямляться и разводить плечи, на его лице появилась умиротворенная улыбка...

Алена извлекла иглу и бросила шприц в алюминиевую кружку, стоящую на плите рядом с горящей конфоркой.

Бочкарев еще несколько секунд постоял с закрытыми глазами, потом открыл их и, помолодев лет на десять, взял с табуретки пиджак, надел его поверх тельняшки. Глядя орлом, улыбнулся Алене.

— Вот и все. Но я никуда не пойду. Зачем мне какой-то дом в деревне? Нет, это глупость!

— Извини, отец, ты обещал, это раз. А во-вторых, ты уже не молодой человек. На старости лет у человека должен быть свой дом, земля, сад. Неужели ты никогда не мечтал об этом?

Бочкарев усмехнулся:

— Почему? В карцере мечтал. И вообще, в лагере все об этом мечтают. Но это так, сказки.

— Нет, это не сказки! — снова ожесточилась Алена. — Я хочу, чтобы ты вернулся в деревню — да, не смотри на меня так! Ты там вылечишься, станешь другим человеком. И это будет справедливо, по-честному. Ты же был честный, за справедливость, да? Но ты боролся за справедливость для других, а я хочу — для тебя. Я хочу, чтобы бабкин дом стал твоим, чтобы ты там жил, копал на свежем воздухе огород, пчел разводил. Нет, в натуре! И я этого добьюсь, запомни: я — Бочкарева!

— Спасибо, дочка, — польщенно улыбнулся он. — Ладно, если ты Бочкарева — пошли к нотариусу.

Алена в сомнении посмотрела на его вылинявшую тельняшку и стоптанные сандалии на его босых ногах.

— Но ты хоть оденься...

— Перестань! — небрежно отмахнулся Бочкарев. — Не делай из одежды культа! Будь выше! Ты же сама сказала, что ты Бочкарева! Идем.

И в нотариальной конторе твердой рукой поставил четкую, аккуратную подпись на доверенности. А когда они вышли из конторы на улицу, снова оглядел Алену с головы до ног и улыбнулся:

— Нет, ей-богу, я не зря прожил жизнь! Такую красотку подарил миру!

— Папа, один вопрос — можно?

— Хоть сто, дочка!

— Ты к нам не вернулся... из-за этого?

— Конечно. А ты бы хотела отца-наркомана?.. Да не смотри ты на меня так, теперь со мной все в порядке! — Он усмехнулся: — Я же буду пчел разводить! Иди и — ни пуха! Только не ссорься со Стасиком, ладно?

И легкой походкой пошел от нее по тротуару. Высокий, стройный... Потом повернулся и махнул рукой:

— Иди! Иди!

Но Алена все стояла, смотрела ему вслед и... плакала без слез.

## 122

В областном суде тот же длинноволосый Паганини, секретарь суда, по-прежнему положив на стол свои длинные ноги и грызя зубами очередной карандаш, листал Аленины документы и разглядывал на просвет отцовское свидетельство о рождении и доверенность на ведение всех дел, которую Бочкарев дал своей дочери.

— К сожалению, не вижу тут свидетельства о рождении вашей бабушки...

— Она умерла, — сказала Алена.

— Правильно. Это я и сам вижу по свидетельству о смерти. Но где свидетельство, что она была рождена? Понимаете, вы же хотите судебным порядком выселить оттуда своего брата...

— Я хочу поселить там отца, он прямой наследник. А у брата есть еще два дома.

— Из чего это следует? У вас есть документы на этот счет?

— Конечно, нет. Они записаны на его любовниц. Но это все знают.

— Значит, у вашего брата своей жилплощади нет? Правильно? А у вашего отца квартира в Москве...

— Комната, — уточнила Алена.

— Жилплощадь, — поправил Паганини. — И значит, что получается? Отец переедет сюда, чтобы выселить из дома родного сына, который тут родился и вырос? И вы хотите использовать суд как инструмент для исполнения этого замысла. Так?

Алена уже все поняла, спросила в упор:

— Ты сколько получил?

— В каком смысле? — удивился Паганини.

— В прямом. Сколько он тебе дал, чтобы ты замурыжил это дело? Или ты тоже в бригаде Серого?

Паганини даже встал от благородного возмущения.

— Вон отсюда!

Алена, усмехнувшись, тоже встала и, взяв со стола свои документы, направилась к двери.

— Ты у меня, сука, ответишь! — сказал он ей в спину.

Она повернулась:

— Это ты у меня, сука, ответишь.

И, хлопнув дверью, ушла. С тем чтобы уже назавтра сидеть в другом кабинете — в Москве, у председателя Фонда поддержки воздушных путешествий в защиту мира и прогресса. Председатель был, конечно, изумлен ее визитом, но слушал. А Алена сразу взяла быка за рога:

— Я вам бабки отдала? Да или нет?

— Ну, отдала...

— У вас теперь есть ко мне претензии?

— В общем, нет.

— Я на вас работала, рисковала жизнью в Дубае, сидела в испанской тюрьме, верно?

Он все не понимал, куда она клонит, но не мог не согласиться:

— Да, верно...

— И потеряла Андрея, так?

Он не выдержал:

— Что я могу для тебя сделать?

— Вот ситуация, — сказала Алена. — Мой сводный брат, мелкий «бык» из бригады Серого, имеет два дома и держит рынок в Твери. Месяц назад он захватил дом нашей умершей бабки, хотя прямой наследник — наш отец, который ютится в каком-то клоповнике, в коммуналке, в полной нищете. Отсудить у брата дом невозможно, у него там все схвачено — суд, милиция, прокуратура. Я обращаюсь к вам в первый и последний раз. Вы можете мне помочь. Даже не мне, а моему отцу. Это его дом, по закону. И он его заслужил — он пятнадцать лет отсидел по 57-й, от звонка до звонка! А теперь он болен, он на игле, ему нужно сменить обстановку, пожить в деревне...

Председатель прищурился:

— Как, ты сказала, его фамилия?

— У нас одна фамилия — Бочкаревы.

— Так я же слышал о нем на киче! — вдруг воскликнул председатель. — Лагерь под Интой, пятьдесят шестой, правильно?

Алена кивнула.

— Блин! — возбудился председатель. — Это мое место! Я в соседнем сидел, в пятьдесят третьем. И этот Бочкарев твой отец? В натуре?

— Ну...

— Знаешь что? По понятиям ты права. Он, конечно, не по нашему профилю, но мы таких уважаем. И вообще, у нас общество поддержки полетов. Если человек залетел по статье — да еще такой! — мы поддерживаем. Это наше святое! Где, ты говоришь, дом твоей бабки?

В ту же ночь десантный «хаммер» и три джипа по лесной дороге ворвались в деревню Хорёнки. Все произошло стремительно, в свете фар и по заранее разработанному плану. «Форд» проломил ворота бабкиного дома, влетел на подворье, и боевики Фонда поддержки воздушных путешествий прямо из машины зацепили крюком собачью будку. Волоком, вместе с осатаневшим псом на цепи, они вышвырнули эту будку со двора на улицу, в то время как из ярко освещенного дома, где шла бандитская гулянка с дешевыми девками, стали выскакивать бандюганы в трусах и без таковых и палить в темень из пистолетов. Но в ответ им тут же загремели очереди из «калашникова», и не одного, а нескольких, и стекла со звоном стали вылетать из окон бабкиного дома. Два джипа, паля из автоматов, катались по двору, из дома послышались визг и крики дешевых девок, и бандюганы Стаса попадали на землю, пряча головы от автоматных очередей нападающих, а Стас, удирая, перепрыгнул через забор.

Когда все стихло, председатель Фонда поддержки воздушных путешествий, сидя в машине, которая не принимала участия в боевых действиях, повернулся к Алене:

— Ну? Где твой папаша? Пусть занимает жилплощадь.

Тут двое из бригады нападающих подвели к джипу Стаса Бочкарева. Он был в трусах и в майке. Председатель открыл дверцу, сказал:

— Значит, так, Стасик, у меня к тебе просьба: больше ты к этому дому никогда не подойдешь. А если будешь проходить по этой улице, иди по той стороне. Ты понял?

Стас набычился:

— Почему? Это мой дом.

— Нет, это дом твоего отца, и он будет здесь жить, и это по понятиям. Ты хоть знаешь, кто он такой? Он нам власть завоевал! А скольким нашим он на киче помог! Сколько он с кичи вынул! Мы с тобой руки должны ему целовать! Так что смотри — чтоб помог ему вылечиться! Ты понял, Стасик? Эти люди для нас власть завоевали! Все, иди.

Стас не посмел перечить авторитету председателя, даже не вернулся в дом за своей одеждой. И позже, когда Алена вошла в дом бабы Феклы, там еще повсюду были следы братниного разгула и ночного штурма — на столе и на полу остатки еды и разбитой посуды вперемешку с осколками битых стекол и штукатурки.

Алена осмотрелась, вздохнула и ушла в сарай, в погреб.

Оказалось, что в погребе был теперь склад оружия — вместо банок с вареньем, медом, разносолами и прочими бабкиными припасами на полках лежали гранатомет, автоматы, ящики с патронами. Но Алена помнила заветное место, отодвинула кирпич в стене, сунула руку в открывшийся проем и вытащила небольшой тяжелый сверток. В свертке была та же связка тугриков, которую когда-то Фекла показывала Алене.

## 123

В Бресте перед пограничным КПП пробка была еще больше, чем в прошлый раз, вереница автомобилей растянулась на несколько километров — легковые, грузовики, фуры, туристические автобусы. Казалось, этот табор стоит тут вечность — люди ели и спали в машинах, слушали радио, играли в карты, жарили на кострах сосиски и шашлыки и ходили в кусты «до ветру»... К иномаркам то и дело подходили какие-то женщины и мужчины, просили водителей перевезти их через границу, но им отказывали, поднимали стекла в окнах.

Однако при появлении Алены реакция была несколько иная. Стильно одетая, с хорошим макияжем, с модной сумкой в руках, Алена независимой походкой шла вдоль этой автомобильной очереди, ни о чем никого не прося, но все одинокие водители сами высовывались из кабин и предлагали:

— Девушка, вас подвезти?

— Девушка, вам куда?

Алена с улыбкой отказывалась, приглядываясь к машинам и их хозяевам. Хотя Маргарита по телефону умоляла ее прилететь самолетом и готова была купить ей билет, Алена не рискнула везти через шереметьевскую таможню свои золотые тугрики музейной редкости. Пройдя чуть не пол-очереди, она наконец нашла то, что искала, — иномарку с немецкими номерами и одиноким пожилым водителем с седой шевелюрой. И улыбнулась ему своей самой неотразимой улыбкой.

— Вы не перевезете меня на ту сторону?

Мужчина посмотрел на нее с явным интересом.

— А у вас документы в порядке?

Алена улыбнулась еще ослепительней:

— У меня вообще все в порядке. Просто я поссорилась со своим другом и решила ехать без него.

— А куда вы едете?

Алена неопределенно показала вперед:

— Туда...

Мужчина усмехнулся:

— Я тоже туда. Теперь все туда. Видите, какая очередь? Вы, случайно, не из балета?

— Нет. А вы?

Он рассмеялся:

— Нет, я писатель. Раньше жил в России, а теперь живу в Германии. Что ж, садитесь. Давайте знакомиться. Как вас звать?

Алена села в машину, представилась:

— Я Алена. А вы?

— А я Владимир Лунин, не читали?

— К сожалению, нет. У меня к вам одна просьба.

— Какая?

— Вы курите?

— Нет. В юности, правда, курил, когда в цирке работал, но это давно было...

— А вы в цирке работали? Правда? Ой, как здорово! Знаете, я везу четыре блока сигарет, а через границу можно провезти только два. Вы не скажете, что это ваши два блока?

— Да пожалуйста! А вы, случайно, не видели фильм «Девушка для всех»?

— Нет, это ваш?

— Да, — скромно сказал Лунин, — он снят по моему роману. Что ж вы ни книг не читаете, ни в кино не ходите? Хотя... Я понимаю, теперь у молодежи другая жизнь — бизнес, бизнес и еще раз бизнес. Да?

— В общем, да, приходится крутиться. Извините, а можно еще одну просьбу?

Лунин усмехнулся:

— Ну, если она скромная, то пожалуйста.

— Очень скромная. Я везу с собой четыре бутылки водки, а через границу можно провезти только две. Вы не можете сказать, что две из них ваши?

— Могу.

Алена достала из своей сумки две бутылки водки и два блока «Мальборо», положила их на заднее сиденье.

— Но тогда и у меня к вам просьба, — сказал Лунин.

Алена включилась в игру:

— Если скромная, то пожалуйста.

— Очень скромная. Я хочу вас поцеловать.

Алена сделала изумленное лицо. И сказала:

— Знаете что? А давайте так: вот переедем границу — и я вас сама поцелую. Хорошо?

— Идет! — Лунин оживился и нетерпеливо стал жать на гудок. — Черт! Мы тут сутки будем стоять! Представляете — вся Европа объединилась, границ уже нигде не осталось, а у нас... Это просто кошмар! Я еще сутки буду нецелованный!

— А вы *известный* писатель?

Он усмехнулся:

— Кажется, да...

— А у вас есть при себе ваши книги?

— Вы мне не верите? Показать?

— Ага. Если можно.

Лунин, хмыкнув, вышел из машины, открыл багажник, порылся в нем и вернулся на свое место с пачкой книг в руках. Алена принялась рассматривать их. Это были книги с яркими обложками и броскими названиями: ВЛАДИМИР ЛУНИН «ДЕВУШКА ДЛЯ ВСЕХ»... ВЛАДИМИР ЛУНИН «ВЫСТРЕЛ В ВИСОК»... ВЛАДИМИР ЛУНИН «НАШИ НА УНТЕР-ДЕН-ЛИНДЕН»...

— Так вы *этот* Лунин! — уважительно протянула Алена. — Я слышала...

— Спасибо. Выбирайте себе книжку. А я вам подпишу.

— Минуточку! — И Алена, держа в руках книги, вышла из машины.

— Эй, вы куда? — удивился Лунин.

— Сейчас, не беспокойтесь.

Так, с книгами в руках, она прошла вперед вдоль колонны машин до самого КПП. Но того капитана, которого она целовала тут год назад, сейчас не было, и Алена спросила у пограничников, проверявших документы:

— Ребята, а кто тут старший?

Однако пограничники, занятые проверкой документов, не обращали на нее внимания.

— Эй, орлы! — еще громче сказала Алена. — Кто у вас старший?

— Ну, я старший, а чё? — грубо отозвался молодой лейтенант.

Алена показала ему книги.

— Вы Лунина читали? Вон он сидит там, в машине, в очереди. Автор всех этих книг. Вы фильм «Девушка для всех» видели? Тоже его! Представляете?! А он уже пожилой человек, у него два инфаркта было! Его нельзя тут сутки мариновать!

Лейтенант посмотрел на Алену, на книги и снова на Алену.

— Ну, если он мне книжку подпишет...

Алена радостно чмокнула лейтенанта в щеку.

— Молоток! Как фамилия?

— Волков. А зачем тебе?

Но Алена, не ответив, уже бежала назад. Увидела издали машину Лунина и жестами показала ему: езжайте сюда! Быстрей!

Лунин вывернул из ряда, подъехал.

— Что случилось?

Алена села в машину, подала Лунину одну из книг и приказала:

— Пишите! «Лейтенанту Волкову от автора с огромной благодарностью». Пишите и поехали! Вперед! Ну что вы на меня так смотрите? Вы же знаменитый писатель! Вы не можете в такой очереди стоять!

Он усмехнулся:

— Тебе так не терпится меня поцеловать?

— Вот именно! — сказала Алена. — Пишите! «Волкову...»

И спустя минуту лейтенант Волков, получив книгу с автографом автора, открыл перед ними шлагбаум, пропустил к таможенному посту. А там таможенник наклонился к машине, окинул взглядом Лунина, книги на коленях у Алены и саму Алену, потом посмотрел на заднее сиденье, где лежали водка и «Мальборо».

— Спиртное везете?

— Конечно, — сказал Лунин.

— Сколько?

— У меня две бутылки, и у нее две бутылки.

— И сигареты везете?

— А как же! — сказал Лунин.

— Сколько?

— У меня два блока, и у нее два блока.

— А больше ничего запрещенного нет? Икра? Наркотики?

— Нет, — сказал Лунин.

— А книжку мне подпишете?

— С удовольствием, — сказал Лунин.

И дальше они ехали уже без остановок. На польско-германской границе немецкий пограничник, бегло глянув на германские номера лунинской «вольво», пропустил их даже без проверки паспортов. Но через пару часов Лунин остановился у железнодорожного вокзала с немецкой надписью «Франкфурт-на-Одере».

— Приехали. Здесь я живу. Дальше вы уж как-нибудь сами.

— Спасибо, — сказала Алена.

— А поцелуй?

Алена подставила ему щеку.

— Нет, мы не так договаривались.

Алена поцеловала Лунина, он обнял ее, пытаясь прижать к себе неожиданно сильными, как у циркового артиста, руками. Но Алена выставила локти вперед:

— Нет, это уже сверх договора.

Лунин засмеялся, выпустил ее и, повернувшись к заднему сиденью, взял один блок сигарет, передал его Алене, потом второй... Приподняв этот второй блок, Лунин замер, ощутив его тяжесть, посмотрел на Алену.

— Что здесь?

Но Алена уже выхватила у него и этот блок.

— Это такой сорт, — улыбнулась она и, подхватив свою сумку, вышла из машины, направилась к вокзалу.

— Стой! — крикнул ей Лунин. — А водка?

— А водка — это вам, — вполоборота отозвалась Алена и улыбнулась: — Пока, писатель!

Спустя сутки французский экспресс, прокатив по цветущему Провансу, въехал в Ниццу, а еще через двадцать минут такси остановилось на Променад-дез-Англе перед ювелирной лавкой, в которую когда-то Алена пыталась сдать свой тугрик. Алена, звякнув дверным колокольчиком, вошла в магазин.

— О, мадемуазель! — узнал ее старик ювелир. — Бонжур! Как я рад вас видеть! Как вы живете?

— Бонжур, мсье! А как вы живете?

— В трудах, в трудах... Чем я могу быть вам полезен?

Алена открыла сумку, достала из нее блок «Мальборо», распечатала его и высыпала на прилавок связку тугриков.

Ювелир смотрел на нее, открыв от изумления рот.

— Мадемуазель, но ведь это целое состояние!

— А я отдаю вам за полцены. Но деньги — сейчас! У меня осталось всего два часа до закрытия банка!

— Я знаю, мадемуазель. Вы же племянница мадам Марго. Мы все тут за нее болеем. Сколько вам нужно?

— Ровно миллион франков.

Старик ювелир пересчитал тугрики, рассмотрел каждый из них в лупу, потом ссыпал их в плотный холщовый мешочек, затянул его шнурком и достал из ящика чековую книжку.

# Часть одиннадцатая

# Монегаск

## 124

700-летие Вильфранш-сюр-Мер на Лазурном берегу отмечалось грандиозными фейерверками, карнавалами и концертами суперзвезд на прибрежных эстрадах. На юбилейном балу мэры соседних городов — Ниццы, Канн, Монте-Карло, Жюан-ле-Пэна, Антиба, Сен-Рафаэля, Граса и Сен-Тропеза — преподнесли городу свои дары, а английская королева, президент Франции, итальянский премьер-министр и канцлер Германии прислали Вильфранш-сюр-Мер свои теплые поздравления. Седьмой американский флот бросил якорь в городской гавани имени Орлова и салютовал городу двадцатью оружейными залпами.

Однако российских поздравлений на этом юбилее, к сожалению, не было.

## 125

Андреевский флаг полз вверх по флагштоку под звуки русского царского гимна. Трио музыкантов-духовиков, стоя под флагштоком, играли «Боже, Царя храни, славься, держава...».

Это хозяйка виллы «Марго» праздновала свою победу в войне с японцами. Толпясь у накрытого подле бассейна длинного стола с закусками, многочисленные гости, разыгрывая комедию, по-русски и по-французски нестройно пели: «Врагу не сдается наш гордый «Варяг»!» — а допев, хохотали, аплодировали сами себе и поднимали бокалы.

— Мадам, мсье! — громогласно вещал сосед нетрадиционной ориентации, хозяин соседней виллы. — Сегодня мы празднуем реванш в русско-японской войне. Две очаровательные русские дамы — Марго и Алена — отбили у японцев наш Вильфранш-сюр-Мер!

— Виват! — кричали гости. — Виват, Марго!..

— Минуточку! Это не все! Я не закончил! Я обращаюсь к мэру Вильфранша, который находится среди нас. Мсье Жубаль! В Ницце, как вы знаете, есть авеню Сталинград. Русские переименовали теперь этот город в Волгоград, но мы чтим подвиг России в войне с Германией и не меняем нашего преклонения перед Сталинградом, который сражался до последнего патрона и победил. А здесь, на этой вилле, две русские дамы тоже сражались до последнего франка и — тоже победили, не отдали нашу землю японцам! Эта вилла — наш Сталинград в

Вильфранше! Так давайте назовем дорогу, на которой стоит эта вилла, давайте назовем ее авеню Марго и Алены! Кто за это предложение, прошу поднять бокалы!

Все гости дружно и шумно подняли бокалы:

— Виват, Марго!

— Виват, Альона!

— Спасительницы Франции!

Алена и Маргарита радостно принимали поздравления, шутили, чокались бокалами с гостями. Один из гостей — пятидесятилетний красавец — церемонно попросил Маргариту представить его Алене.

— О, Поль, конечно! — сказала Маргарита. — Алена, это мсье Поль Лепер, он монегаск.

— Польщен знакомством, — сказал Алене Поль. — Можно я буду называть вас Алена де Вильфранш?

— Как Жанна д'Арк? — улыбнулась Алена.

— А вы знаете, кто такие монегаски? Нет? О, позвольте вам рассказать... — Поль взял Алену под руку и повел по аллейке. — Мы, монегаски, являемся гражданами, может быть, самой маленькой страны в мире. Вся наша территория — это два километра триста метров в длину и один километр шестьсот метров в ширину, вот и все. А каких-нибудь двести лет назад это вообще была голая скала. Но благодаря политике наших князей, которые в свое время вошли в союз с Наполеоном и получили независимость от Франции, у нас сохранилась монархия, а налоги отменены, и это привело к неслыханному расцвету нашего маленького государства... — Поль остановился у вертолета, стоявшего в конце сада, у оранжереи. — Хотите, я вам покажу свою страну?

Вертолет был крохотный, как стрекоза, с круглым плексигласовым колпаком над кабиной.

Алена не смогла устоять перед таким соблазном, и через минуту они уже взлетели над Вильфраншем, развернулись над гаванью и полетели вдоль берега на восток, в сторону Монако. Алена, глядя вниз, слышала в наушниках голос Поля:

— При вашей царице Екатерине граф Орлов купил Вильфранш для России и сделал тут военно-морской порт. Да-да, в этой прекрасной бухте стоял ваш Черноморский флот, он перешел сюда из Севастополя. И ваши цари собирались проложить сюда железную дорогу из Санкт-Петербурга. Это правда, поверьте! Как раз через Монте-Карло должна была пройти эта дорога, Россия уже вела переговоры с Генуэзским княжеством о покупке Монако. Если бы ваша революция случилась лет на пять позже, Монако было бы русской территорией и здесь была бы Монакская область с Монакским обкомом партии. Но слава Богу, этого не случилось, иначе бы мой род погиб где-нибудь в ГУЛАГе. А так — вот наши Монако и Монте-Карло, смотрите!

Вертолет завис над Монте-Карло — крохотным и словно игрушечным городком на прибрежной скале.

Поль продолжал:

— Вот на этом пятачке, просто на голой скале мы создали самую богатую в Европе страну! У нас сосредоточены все деньги Европы и львиная доля денег всего мира...

Вертолет снизился и опустился на вертолетную площадку на крыше одного из домов, Алена и Поль вышли и лифтом спустились в изумительно красивый и феноменально богатый торговый центр «Метрополь». И на всем этом пути Поль рассказывал:

— У нас практически нет налогов, и потому к нам хлынули деньги и бизнесы со всего мира. Но главная мудрость наших монархов не в этом. Наше государство очень маленькое, а нас, коренных монегасков, всего восемь тысяч. Так вот, наш принц сказал, что любой человек может открыть здесь бизнес и вести его без всяких налогов, но при условии, что одним из учредителей этого бизнеса будет монегаск. Понимаете? И теперь каждый монегаск является председателем, директором или членом совета директоров десятка различных бизнесов и получает огромную зарплату всего лишь за то, что прикрывает эти бизнесы своим именем и гражданством. Потому что получение нашего гражданства только династическое, как у царей, никакой иностранец, даже миллиардер, не может его ни получить, ни купить. И даже если вы родите тут ребенка от монегаска, он получит гражданство лишь в том случае, если будет воспитан в Монако...

Алена, слушая вполуха, с восхищением озиралась по сторонам. Здесь, в торговом центре, царила роскошь, невиданная ею ни в Париже, ни в Ницце, ни даже в Арабских Эмиратах. Потому что здесь была роскошь напоказ, на всю катушку, во всю ивановскую — женщины выгуливали тут свои бриллианты, топазы и шиншиллы, мужчины ходили в «Армани» и «Валентино»...

— Да, да, смотрите! — улыбался Поль. — Смотрите: это единственное место в мире, где дамы не боятся носить даже килограммовые бриллианты. Потому что у нас самое полицейское государство в мире, здесь самое большое количество полицейских на душу населения. Хотя вы их не видите — девять из десяти полицейских ходят тут в штатском. Но они видят все. И потому у нас нет преступности, а если кого-то лишь заподозрят в чем-то преступном, как его тут же берут под белы руки, везут на границу с Францией и без всяких разговоров выбрасывают из страны. Так что у нас тут идеальный порядок. Вам нравится?

— Очень! — чистосердечно восхитилась Алена.

Они вышли из торгового центра на улицу, к кафе «Де Пари». Мимо них по площади катили «роллс-ройсы», «бентли», «феррари» и прочие роскошные авто.

— Здесь, — сказал Поль, — вы на каждом шагу можете встретить принца или принцессу, все уцелевшие короли мира обязательно имеют в Монако квартиру или виллу. А посмотрите сюда...

Алена повернулась и засмеялась — весь холм за центральной площадью Монако был уставлен гигантскими скульптурными головами Ленина, меж которых вились трубы исполинских самогонных аппаратов.

— Что это?

— Это сделал мой друг Сезар, французский скульптор. Как только рухнул ваш коммунизм, он закупил в России огромное количество голов Ленина, поставил их тут, на холме, а между ними уложил старинные аппараты для перегонки духов. И таким образом символизировал перегонку духа революции из Франции в Россию и обратно.

Поль повел Алену по площади мимо казино «Монте-Карло» и отеля «Париж»...

— Это самое знаменитое казино, — продолжал он экскурсию. — Здесь проигрываются все деньги мира... — И по бело-черному мрамору подземного туннеля вывел Алену на набережную. — Но главное наше сокровище — наша легенда о принцессе Грейс. Это самая романтическая история века. Грейс была знаменитой американской актрисой, более знаменитой, чем Мэрилин Монро. В 56-м году она приехала со своим фильмом на Каннский фестиваль и на одном из приемов стояла у бассейна — вот так же, как вы на вилле Марго. И так же как я к вам, к ней подошел Ренье, молодой принц Монако. У них вспыхнул роман, она бросила Америку, бросила кино, вышла за него замуж, стала заниматься благотворительностью и своим именем и энергией значительно подняла благосостояние Монако. А потом... В 82-м она погибла при загадочных обстоятельствах — она вела машину вон по той дороге в скалах и вот с этой скалы упала вниз и разбилась. Причем она ехала со своей дочерью Каролиной, но Каролина осталась жива, а принцесса погибла. Расследование установило, что у ее машины были подрезаны тормозные шланги. О, это было безутешное горе нашего принца и всех нас, монегасков, мы любили ее как сестру и как мать. И теперь эта набережная названа ее именем, и эта скала названа ее именем, и эта церковь носит ее имя...

Алена и Поль стояли у воды, волны, тихо мурлыча, ластились к их ногам.

— Останови меня! — сказал Поль. — А то я могу часами говорить о своей стране. Но я хочу послушать что-нибудь о твоей.

— А вы никогда не были в России?

— Никогда. Я знаю, что это где-то очень далеко и там очень холодно.

— Ну во-первых, у нас не всегда холодно. Но у нас действительно затяжная зима, почти полгода на улицах лежит снег. И это очень красиво — представьте себе лес, огромные сосны, у них вот такие огромные ветки, как лапы, и на них лежит снег, белый, пушистый, он искрится под солнцем. А когда ты идешь по этому снегу, он хрустит под ногами...

— Ты любишь снег?

— Очень! В детстве я его даже ела! Нет, правда, я брала снег ладошками и ела как мороженое!

— Хорошо, — сказал Поль. — Пошли, я хочу сделать тебе подарок.

— Неужели у вас продают снег?

— Пошли, я покажу тебе...

Идти пришлось недалеко, всего лишь до лифта к вертолету. А потом был короткий полет на север, в соседние Альпы, и уже через двадцать минут под ними был лыжный курорт — красивые деревянные коттеджи на склонах альпийских гор, подъемники, лыжные спуски, лыжники и лыжницы в ярких костюмах. И снег, снег, снег — все Альпы в снегу, сверкающем под солнцем.

Стоя на лыжах на вершине горы, у крутого лыжного спуска, Поль, одетый в только что купленный яркий лыжный костюм, сказал Алене:

— Вот тебе и снег. Это мой небольшой подарок в честь нашего знакомства. Поехали!

Алена с удовольствием оттолкнулась палками и покатила за Полем, изумляясь его нелепо-неумелой езде. Уже через минуту он свалился в снег, она не успела его объехать, споткнулась и рухнула прямо на него.

— Господи! — сказала она. — Ты же не умеешь стоять на лыжах! Зачем мы сюда приехали?

— Я лыжи терпеть не могу! — признался Поль. — Но я хотел, чтобы ты не тосковала по своей России.

— Спасибо. — Алена поцеловала его в знак благодарности, и Поль обнял ее, ответил долгим любовным поцелуем.

Алена не противилась.

А мимо них и объезжая их, целующихся, катили и катили лыжники...

## 126

Это случилось на поле для гольфа в клубе «Ривьера-гольф». Поль стоял над шариком с клюшкой в руках, смотрел на далекую лунку, потом на свой шарик, потом снова на лунку.

Его партнеры покачали головами:

— Нет, это невозможно!

— Даже не пробуй!

— Алена, — сказал Поль, — этот удар я посвящаю тебе. Если я попаду, ты скажешь «да». Хорошо?

Алена посмотрела ему в глаза долгим, проникновенным взглядом.

— Ты безумец! — сказали его партнеры. — Зачем ты так рискуешь? Это же рискованней, чем русская рулетка.

— Потому что всё в руках судьбы, — ответил им Поль и опять повернулся к Алене: — Договорились?

— Да... — негромко согласилась Алена, не отводя взгляда от его глаз.

И они поняли друг друга.

Он выдохнул воздух, утвердился ногами над шариком, вдохнул, размахнулся и ударил.

Шарик взмыл по крутой дуге, упал в траву довольно далеко от лунки и покатился к ней — сначала быстро, потом все медленней, медленней... Казалось, ему не хватит сил докатиться до лунки, и Алена вдруг ощутила, что всем своим существом она подталкивает, подталкивает этот шарик... «Ну, еще, еще!» — мысленно кричала она ему, и... буквально на последнем повороте шарик докатился до лунки, замер на ее краю, Алена толкнула его своим взглядом — и он рухнул в лунку.

Партнеры Поля, не веря своим глазам, побежали к той лунке.

А Поль и Алена повернулись друг к другу.

Утром, обессиленные любовью, они лежали в постели на вилле Поля в предгорьях Альп.

— Ты самая вкусная, самая сладкая женщина в мире! — сказал Поль. — И теперь я точно знаю, чего я хочу. Я хочу тебя и гольф, тебя и гольф, и ничего кроме!

А когда его спортивный «феррари» катил по горной дороге, ныряя в туннели и выскакивая из них к следующему захватывающему дух высокогорному пейзажу, Поль, сидя за рулем, сказал:

— Дорогая, я решил изменить свою жизнь. Я решил продать свою верфь и вообще весь свой бизнес. Конечно, все говорят, что сейчас, когда цены на нефть так растут, продавать строительство нефтеналивных танкеров может только безумец. Но я и так уже заработал столько, сколько мне не потратить. Так зачем мне работать, когда у меня есть ты? Ты и гольф — вот все, что мне нужно. Мы с тобой будем ездить по всему миру, будем играть в гольф, и у нас будет прекрасная жизнь!..

Машина въехала в Тулон и покатила по верхней дороге над гаванью и верфями, в которых стояли огромные корабли, окруженные строительными лесами и подъемными кранами. Там работали сотни рабочих, стучали клепальные машины, сияли сполохи электросварки...

— Это все мое, это моя верфь, — сказал Поль. — Но я уже выставил ее на продажу, и самое лучшее предложение мне сделала швейцарская фирма, совладельцами которой являются твои соотечественники — русские. Сейчас я тебя познакомлю с ними, это очень милые люди и удачливые бизнесмены.

Машина Поля спустилась к верфи, где завершалось строительство огромного танкера. Сразу за аркой с французской надписью «ВЕРФЬ ПОЛЯ ЛЕПЕРА» был пирс, а на пирсе стоял празднично накрытый стол — шампанское, коньяк, фрукты. Вокруг стола оживленно толпилась группа людей, среди них были и адвокаты — партнеры Поля по гольфу. Они радостно приветствовали Поля и Алену:

— Ну вот! Наконец-то хозяин приехал! Бонжур, мсье! Бонжур, мадемуазель!

— Бонжур! — сказал Поль, выходя из машины. — Мсье, можете меня поздравить: Алена приняла мое предложение!

— О, поздравляем! — еще больше оживились адвокаты. — Это потрясающе!

А Поль подвел Алену к остальным присутствующим:

— Мсье, прошу знакомиться: моя невеста Алена. — И повернулся к Алене: — Мон амур, это покупатели, они хотят купить у меня эту верфь...

Но Алена уже давно смотрела на этих покупателей глазами, расширившимися от ужаса. Точнее, на одного из них — председателя Фонда поддержки воздушных путешествий в защиту мира и прогресса.

— Бонжур, мадемуазель, — сказал он, подойдя к Алене. И, склонившись к ее руке для поцелуя, негромко прибавил по-русски: — Мы с тобой не знакомы. — А дальше опять на плохом французском: — Очень приятно, рад познакомиться. Вы действительно из России?

Позже, когда клеть с покупателями, возносимая гигантским подъемным краном, стала медленно подниматься над верфью, открывая величественную панораму строительства океанских танкеров и сухогрузов, Поль, стоя со своими гостями, давал пояснения:

— За год мы спускаем на воду шесть нефтеналивных супертанкеров и десять сухогрузов. При желании и небольших инвестициях порядка двухсот — трехсот миллионов долларов эту верфь можно расширить, сделав тут насыпную дамбу. Но главная ценность моей верфи не в этом. Я продаю не только и не столько эти производственные мощности, я продаю свое имя. Потому что суда, сошедшие с верфи Поля Лепера, по надежности — вне конкуренции. Это как «мерседес»...

А тем временем в стороне Алена и председатель фонда негромко общались по-русски.

— Я так за тебя рад! — говорил председатель. — Приятно знать, что мы способствовали твоей удаче. Надеюсь, ты это тоже помнишь и поможешь нам.

— В чем?

— Ну, ты же понимаешь, что, кроме нас, этой верфью интересуются и другие люди, и твой жених размышляет, кому продать. Но ты, конечно, порекомендуешь нас, тем более что мы сразу даем наличными. Деньги у нас, как ты знаешь, есть, и вообще мы легализуемся. Мы идем в большой бизнес. Ты поняла?

Алена поняла, что она в ловушке.

И когда по дороге домой, в машине, Поль спросил: «Ну? Что скажешь?» — она отвернулась, сделав вид, что занята своими мыслями. Но он настаивал:

— Алена!

— Да... Что?

— Какое у тебя мнение об этих людях?

— Еще не знаю...

— Как? — возмутился он. — Это же твои земляки. Ты пойми: я продаю не просто верфь, я продаю верфь с моим именем и репутацией, которую я создавал годами!

— Да?.. Знаешь, я бы на твоем месте повременила с этой сделкой.

— Почему?

— Ну, мне так кажется... Я... я это... — Она не знала, что сказать, и стала выдумывать на ходу: — Я хочу позвонить в Москву, навести о них справки. Обещай, что до этого ты не подпишешь никаких контрактов.

— Они дают на тридцать процентов больше, чем все остальные. Это очень серьезно! Ты даже не представляешь, какие это деньги!

Алена обняла его:

— Пожалуйста, дорогой, обещай...

Поль недовольно засопел:

— Тебе недели хватит?

## 127

Что делает женщина, когда ее одолевают тревога, неуверенность или неразрешимые проблемы?

Могу поспорить, мужчины ни за что не догадаются.

Зато читательницы подтвердят: чтобы избавиться от неразрешимых проблем, женщина или ест, или готовит.

Шестое чувство говорило Алене, что появление руководителей фонда в Монако добром для нее не кончится. Но как ей быть? На что решиться? Стараясь подавить чувство тревоги, Алена с головой ушла в домашнее хозяйство и в Монте-Карло, в модерновой кухне городской квартиры Поля, устроила кулинарный бум. На плите шипели огромные сковородки, в духовке что-то шкворчало и булькало, а Алена, стоя у стола в домашнем халатике и переднике, острым ножом мелко-мелко резала морковь, спаржу, анчоусы и прочие средиземноморские дары земли и моря.

Поль, застав ее за этим занятием, недовольно нахмурился:

— Что ты делаешь? У нас же есть повар, слуги!

— Подожди, не мешай!

Но он возмутился и даже повысил голос.

— Что значит «не мешай»? Я тебе запретил заниматься домашней работой! Посмотри на свои руки! Немедленно прекрати!..

Алена в сердцах швырнула нож в раковину:

— Ты ничего не понимаешь! Я русская женщина! Если я люблю мужчину, я должна приготовить ему обед, постирать носки, погладить рубашку! Иначе на хрена я нужна? Только для траха? Так купи себе куклу надувную... — И она расплакалась.

Он тут же утих, обнял ее.

— Ну зачем ты так?.. Я не хотел тебя обидеть... Просто мы вечером идем на прием, а у тебя руки смотри какие стали... — Он стал целовать ей руки. — А что слышно из Москвы? Ты узнала про этих людей?

— Узнаю... Подожди...

— Сколько можно ждать? Я теряю деньги. И адвокаты уже нервничают...

— Я не знаю, сколько ждать... Это не от меня зависит... Я жду подходящего момента...

— Какого момента?

— Не важно. Ты не поймешь. Подожди...

Ждать пришлось еще ровно три дня. На четвертый, когда Алена в своей маленькой и открытой «альфа-ромео» выехала из подземного гаража в доме Поля в Монте-Карло и притормозила перед поворотом на улицу, к ней в машину сел председатель Фонда поддержки воздушных путешествий.

— Здравствуй, Алена. Ты не возражаешь?

— Нет, пожалуйста. — Алена сделала вид, что не ждала этой встречи. — Вы еще не уехали? Куда вас подвезти?

— Нам с тобой по дороге.

Алена тронула машину, покатила по Монте-Карло и одновременно стала рыться в своей сумочке.

— Что ты ищешь? — спросил председатель. — Сигареты?

— Нет, помаду. Тут у моря губы обветриваются. Вот, нашла. — Алена достала из сумочки помаду и подкрасила губы.

— Ты мне можешь объяснить, что происходит? — сказал председатель.

— Где? — невинно спросила она.

— У твоего жениха. Мы же с ним обо всём договорились. А он почему-то тянет, ничего не подписывает. Ты можешь на него нажать?

Алена, ведя машину, тут же перешла на деловой тон:

— Знаете, дорогие, я больше не работаю в потемках. Чтобы нажать, я должна понять вашу игру. Как вы хотите его кинуть?

Он сделал изумленное лицо:

— С чего ты взяла, что мы хотим его кинуть?

Она поморщилась:

— Слушайте, мы же знакомы не первый день! Давайте без лапши на уши.

— Хорошо, — согласился он, — без лапши. Ты помнишь, что ты нам должна? А мы долгов не прощаем, мы не в церкви.

— Я знаю. Но с другой стороны, я выхожу за него замуж. И я не хочу, чтобы мы разорились.

— А кто собирается вас разорить? С чего ты взяла?

— С того, что вы мне сказали в Тулоне: мы не знакомы. Если бы в этой сделке все было чисто, вы бы об этом не просили. Значит, тут что-то не так.

— Гм... — хмыкнул он. — Логично... Ну что ж, ты права, мы его действительно кинем, если ты нам не помешаешь. Но давай я тебе нарисую такую картину. Допустим, ты выходишь за него замуж. Это тебе не Россия, это Монако. Здесь все браки заключаются только с помощью брачного контракта, в котором тебе на случай развода будет отписано не больше пяти процентов от его капитала. И не надейся на свою красоту и молодость, рано или поздно ты ему надоешь, он найдет себе другую молодку, а тебе бросит эти пять процентов. Так тут происходит на каждом шагу, зайди в любую церковь и проверь, по скольку раз тут женат каждый монегаск! А я тебе предлагаю десять процентов от этой сделки — и прямо сейчас, не растрачивая твою молодость на этого сытого кота!

— У нас с ним другие отношения! Я его люблю!

— В таком случае — двенадцать процентов. Стоп! Останови машину.

Алена послушно остановилась.

Председатель повернулся к ней:

— Ты вообще понимаешь, что я тебе предлагаю? Ты знаешь, сколько будет двенадцать процентов от пятнадцати миллионов долларов?!

Алена вздохнула:

— Нет, не знаю. Но я знаю, что дальше нам не по дороге.

Он посмотрел ей в глаза:

— Ты пожалеешь...

Она молчала, ждала.

Он вышел из машины и повторил:

— Ты очень пожалеешь.

Алена нажала на газ и унеслась прочь.

## 128

В офисе Поля адвокаты показывали ему готовые контракты на продажу верфи.

— Дальше тянуть невозможно, — говорили они. — Если вы не подписываете, они уходят искать другую верфь, а мы потеряем как минимум сорок миллионов... — И удивленно повернулись на звук распахнувшейся двери.

Поль тоже нахмурился — он не терпел, когда ему мешали вести его дела.

Но Алена, не говоря ни слова, пересекла кабинет, открыла свою сумочку, достала из нее миниатюрный магнитофон и положила на стол перед Полем.

— Что это? — спросил он.

— Послушай.

Поль включил магнитофон. Оттуда прозвучал голос председателя Фонда поддержки воздушных путешествий:

— «Ну что ж, ты права, мы его действительно кинем, если ты нам не помешаешь. Но давай я тебе нарисую такую картину. Допустим, ты выходишь за него замуж. Но это тебе не Россия, это Монако. Здесь все браки заключаются только с помощью брачного контракта...»

Поль остановил магнитофон и поднял глаза на Алену:

— Я ничего не понимаю. Это же по-русски.

— Ничего, включи сначала. Я переведу.

Поль включил магнитофон, и Алена стала синхронно переводить весь свой разговор с председателем фонда.

Поль изумленно слушал, его лицо становилось все мрачней.

— Кто эти люди? — спросил он.

— Это *очень* серьезные люди. Это русская мафия, — ответила Алена. — Ты не знаешь, сколько будет двенадцать процентов от пятнадцати миллионов?

Поль встал из-за стола, подошел к Алене и поцеловал ее.

— Я тебя очень люблю! — сказал он.

## 129

Свадьбу справляли в саду на вилле Поля. Было множество гостей в роскошных нарядах, музыка, слуги с шампанским, тосты за новобрачных и поздравления со всего света. Поль танцевал с Аленой, Маргарита флиртовала с каким-то шведским бароном, а к воротам виллы то и дело подъезжали посыльные с цветами в огромных корзинах, и два рослых привратника, принимая эти дары, обследовали их металлоискателем. Затем мажордом — статный «качок» с офицерской выправкой — торжественно объявлял о цветах и подарках, присланных Сезаром из Парижа, Рупертом Мердоком из Нью-Йорка и принцессой Каролиной с Гавайских островов...

В самый разгар бала очередной посыльный подъехал к воротам виллы на грузовичке с надписью «WWW@FRANCE-FLOWERS.COM», выгрузил огромную корзину с роскошными алыми розами и маленькой фирменной коробочкой «Картье», перевязанной лентой. Передав цветы привратникам, он хотел уехать, но те сказали: «Одну минуту!» — и стали металлоискателем проверять корзину.

Посыльный попытался вырваться:

— Я спешу! У меня еще шесть заказов!

Но привратники, переглянувшись, взяли его под локти.

— Ничего, пойдемте с нами. Нужно кое-что уточнить.

И через минуту статный мажордом подошел к Полю:

— Мсье, можно вас на минуту?

Поль, извинившись, оставил Алену с Маргаритой, ушел с мажордомом в дом и спустился там в подвал.

— Вы были правы, — говорил по пути мажордом. — Вашей супруге прислали подарок с бомбой. Мы ее обезвредили.

В подвале, привязанный к стулу и избитый до крови, сидел посыльный. На столе перед ним была вскрытая фирменная коробка «Картье», из которой торчали проводки и взрыватель, утопленный в пластиковую взрывчатку.

Поль молча посмотрел на избитого посыльного и на коробку с разобранной бомбой, а мажордом подошел к посыльному.

— Кто? — спросил он коротко.

— Я не знаю, не знаю... — испуганно задергался посыльный. — Не бейте! Я клянусь...

— Развяжите его, — приказал Поль.

Охранники развязали посыльного.

— Возьми эту коробку, — сказал ему Поль, — и верни ее тем, кто тебя послал. Передай им, что я их знаю. И скажи, что, если хоть один волос упадет с головы моей жены, ни один из них не уйдет от моей мести и никогда больше ни один русский вообще не въедет в Монако. Ты запомнил?

— Запомнил.

— Повтори! — жестко приказал Поль.

# 130

Как было сказано в самом начале этого романа, богатые тоже плачут, но кто им сочувствует? Поэтому искать у читателей сочувствия Алене в ее семейной жизни мы не будем. Скажем только, что жизнь эта состояла из перелетов от одного знаменитого гольф-клуба к другому, отбывания целыми днями на полях для гольфа, где следовало болеть за мужа и аплодировать каждому его удару, и любовных утех в номерах дорогих, но стандартно однообразных отелей при этих гольф-клубах в Шотландии, Швейцарии, Новой Зеландии, Франции, Австралии и еще бог знает где. К тому же, справедливости ради, следует отметить, что Поль ни в чем не отказывал Алене — она могла покупать себе любые наряды, косметику и украшения, и, самое главное, он был, несмотря на свои пятьдесят с гаком, жаден и неутомим в постели. Причем приступы вожделения могли накатить на него в любой момент — и днем, посреди игры в гольф, и вечером, перед ужином, и по пять раз за ночь. Первое время это казалось Алене замечательным проявлением влюбленности и льстило ее женскому самолюбию, она охотно и страстно отвечала на его причуды, пусть даже самые грубые, но через пару месяцев этот странный коктейль «sex on a golf» приелся ей до тошноты, а ее роль возлюбленной жены стала казаться ей сродни функции машины для массажа его предстательной железы.

Впрочем, стоп, я обещал не искать у читателей сочувствия к богатой и праздной семейной жизни нашей многострадальной героини. Тем паче что главный виновник всех ее действительно серьезных бед уже приехал в Монако и своей легкой кавалерийской походкой взошел на эскалатор роскошного торгового комплекса «Метрополь» в Монте-Карло. В сиянии гигантских хрустальных люстр он поднялся на верхний этаж торгового комплекса, в галерею супердорогих магазинов «Картье», «Лорд энд Тэйлор», «Фифтс авеню», «Клемансо» и «Шанель» и вошел в самый шикарный ювелирный магазин.

Здесь было больше лощеных продавцов, чем покупателей, но зато покупатели — судя по их бриллиантам и шиншиллам — были сплошные мультимиллионеры.

— Бонжур, мсье! — поспешил к Красавчику менеджер магазина. — Чем могу вам помочь?

— Мне тут назначил встречу мсье Христиан Верон.

— О, мсье Романов? Конечно! Мсье Верон вас уже ждет. Идемте...

И менеджер провел Красавчика в комнату для переговоров с особо важными клиентами. Впрочем, обстановка здесь была весьма проста — на стене небольшая старинная картина, а посреди комнаты три кресла и антикварный стол с телефоном и микроскопом. В одном из кресел уже сидел мсье Христиан Верон, по его костюму, перстням и номерному «Ролексу» на руке было ясно, что он «весит» не меньше ста миллионов. Однако при появлении Красавчика он встал, и менеджер представил их друг другу:

— Мсье Верон — мсье Романов. Простите?

— Николя, — уточнил Красавчик. — Николя Романов.

Менеджер показал на кресла:

— Прошу вас, мсье.

А Верон тут же приступил к делу, сказав Красавчику:

— Вы не возражаете, чтобы вашу вещь посмотрели специалисты?

— О, нисколько! Наоборот... — И Красавчик, свободно усевшись в кресло, достал из кармана небольшой замшевый мешочек и вытряхнул из него на стол то самое ожерелье Екатерины Второй, которое когда-то Гжельский показывал Алене. — Вот, — сказал он, — я хотел бы эту вещь продать.

В лучах люстры ожерелье так засверкало своими голубыми бриллиантами, что даже менеджер изумленно присвистнул.

А Христиан Верон осторожно, как нечто хрупкое, взял ожерелье двумя руками и стал разглядывать.

— Что вы об этом думаете? — спросил он у менеджера после паузы.

Менеджер положил ожерелье под микроскоп и посмотрел в окуляр.

— Я думаю, — доложил он, — это оригинал и, конечно, раритет. Цветные алмазы в природе встречаются крайне редко, а ограненные из них бриллианты наперечет во всех мировых собраниях. Это, конечно, редчайшая вещь и изумительная работа.

— Кто мастер? — спросил Верон.

— Сам я не берусь определить, — ответил менеджер. — Но наши ювелиры... — И он нажал кнопку на телефоне, сказал в селектор: — Мсье Кодас, зайдите сюда на минутку.

Тотчас из задней комнаты вошел ювелир с лупой на лбу, менеджер молча показал ему ожерелье, тот надвинул лупу на правый глаз, стал рассматривать ожерелье, а затем двинулся с ним к выходу.

— Нет-нет! — поспешно вскочил Красавчик. — Ожерелье отсюда не выносить!

— Мсье, я только поищу его в каталогах, — объяснил ювелир.

А менеджер изумленно воскликнул:

— Мсье, вы нам не доверяете?

— Ожерелье не выносить! — жестко повторил Красавчик.

Ювелир пожал плечами:

— Пожалуйста... — И отдал ожерелье менеджеру. — Я принесу каталоги сюда...

Менеджер, держа в руках ожерелье, повернулся к Красавчику:

— Мсье, а откуда у вас эта вещь?

— Это моя собственность.

— У вас есть документы на нее?

— Если покупатель проявит заинтересованность, я их представлю.

Телефонный звонок прервал этот разговор, менеджер взял трубку:

— Алло. Вы уверены? Русской императрицы?! — И, положив трубку, снова обратился к Красавчику: — Знаете, у нас возникли сомнения относительно легальности этой вещи. Пожалуй, мы сохраним ее у себя, пока вы не представите документы...

— Нет, знаете, — усмехнулся Красавчик, — эта вещь моя, и я вам принесу ее в следующий раз вместе с документами.

— В каталогах она значится собственностью российской императорской семьи, — сказал менеджер.

— Вот именно! — с видом оскорбленного благородства воскликнул Красавчик. — Я и есть из императорской семьи! Вы же слышали — моя фамилия Романов! Я Николай Романов Третий! — И, выхватив ожерелье из рук опешившего менеджера, быстро пошел к выходу.

Менеджер и Христиан Верон изумленно смотрели ему вслед, а затем менеджер, придя в себя, схватил телефон и набрал короткий номер.

— Секьюрити! — сказал он в трубку.

Красавчик, сдерживая себя, быстрыми шагами шел к эскалатору в толпе праздношатающейся по галерее публики, когда вокруг него возникло какое-то волнение и несколько рослых «покупателей» вдруг стали прижимать пальцами крохотные наушники в своих ушах и озираться по сторонам, ища кого-то глазами.

Один из них остановил свой взгляд на Красавчике и двинулся ему наперерез.

Красавчик рванулся в сторону, нырнул в ближайший магазин, который оказался салоном женского белья, и уже бегом стал лавировать меж стендов с бюстгальтерами, колготками, корсетами и женскими комбинациями. И вдруг увидел Алену, стоявшую подле одного из стендов с двумя фирменными, от «Фифтс авеню», сумками в руках.

При виде бегущего Красавчика Алена от неожиданности замерла, хотела что-то сказать, но Красавчик, задев на ходу ее сумки с покупками, пронесся мимо, а следом за ним промчались агенты секьюрити.

Это было как видение, как мимолетный призрак, и Алена стояла на месте, изумленно хлопая глазами. Ее Принц, ее Красавчик — здесь, в Монако, что-то украл в магазине? Это невероятно!

Между тем Красавчик, выбежав из магазина женской одежды, вскочил на эскалатор и уже расслабленной походкой двинулся по ступеням вниз.

Там, у последней ступени, его ждали агенты секьюрити.

— Мсье, пройдемте с нами.

— А в чем дело?

Один из агентов жестко взял его под локоть:

— Пройдемте, у нас есть к вам вопросы.

Окружив Красавчика, агенты завели его в служебную комнату.

— Мсье Романов, мы должны вас обыскать.

— Но почему? Вы не имеете права! Я из императорской семьи!

Но агенты уже вынимали все из его карманов — бумажник, деньги, паспорт.

— Это вам не Франция и не Россия. Это Монако, мсье. Здесь мы имеем право на все.

Однако ожерелья Екатерины они у Красавчика не нашли. Открыв его паспорт, они изучили фотографию, запись «ROMANOFF NIKOLAY ALEKSEEVICH» и прочие записи, затем вставили паспорт в компьютер. У компьютера претензий к паспорту не оказалось. Тем не менее Красавчику его не отдали, а спросили:

— Как вы оказались в Монако?

— Проездом. Есть еще вопросы?

— Да, есть. Пожалуйста, идемте с нами.

И они вывели его на улицу, к полицейской машине, где стояли трое полицейских в форме. Агент секьюрити молча передал им паспорт Красавчика.

Красавчик возмущенно спросил:

— Что это значит? Я арестован?

— Нет, мсье, — сказал полицейский. — Но у нас есть предложение.

— Какое?

— Для начала сядьте в эту машину.

— Значит, я все-таки арестован?

— Что вы! Мы просто рекомендуем.

Красавчик, принужденно пожав плечами, сел в полицейскую машину, два полицейских тут же уселись справа и слева от него, третий занял место за рулем, и машина тронулась — именно в тот момент, когда из подземного гаража торгового комплекса выехала открытая «альфа-ромео» Алены. Но Алена не обратила внимания на полицейских, проехала мимо и свернула к старому городу, а Красавчик, проводив взглядом Алену, отвернулся с каменным лицом, и полицейская машина нырнула в туннель.

Сразу за выходом из туннеля они миновали бензоколонку и маленький придорожный камень с надписью «Княжество Монако» и тут же остановились. Полицейские вышли из машины и жестом приказали выйти Красавчику. Потом протянули ему его паспорт и сказали:

— Мсье Романоф, вот вам ваш паспорт. А теперь... Видите этот камень? А на той стороне дороги бензоколонка, видите? Так вот, проведите между ними воображаемую черту и запомните: вы не должны ее пересекать. Ваша нога больше никогда не должна ступать на землю княжества Монако. Вам ясно?

— Но почему? — возмутился Красавчик. — Мой паспорт в порядке. В чем вы меня обвиняете?

— Этого мы вам объяснять не должны, это вам не Франция. Предупреждаем: если мы когда-нибудь встретим вас в Монако, у вас будут большие неприятности.

— Но я Романов!..

— Вот именно. Оревуар!

Полицейские сели в машину, развернулись и укатили в Монако.

Красавчик посмотрел на камень с надписью «Княжество Монако» и сказал по-русски:

— Вот суки!

## 131

Оставив машину в подземном гараже, Алена, держа в руках фирменные сумки с покупками, лифтом поднялась в свою квартиру. Возбужденная неожиданной встречей с Красавчиком, швырнула сумки в гостиной на софу и вышла на балкон. С балкона открывался прекрасный вид на Монте-Карло и Средиземное море, но Алене было не до пейзажей. Нервно закурив, она села в кресло, откинулась и закрыла глаза. В конце концов, что случилось? Ну, был такой человек в ее жизни, но ведь это когда было — тысячу лет назад, до замужества! Теперь она светская замужняя дама, а все эти шальные ошибки юности — в прошлом...

Заставив себя успокоиться, Алена загасила сигарету в пепельнице, свободно и глубоко вздохнула и вернулась в гостиную. В конце концов, примерка обновок — лучшее средство от любых переживаний, и Алена с удовольствием достала из сумок свои покупки — коробку с крохотным, но безумно дорогим платьем от нового парижского бога моды, пакеты с нижним бельем «Felina», свитер для мужа. Разложив эти покупки на софе, она примерила платье, повертелась в нем перед зеркалом, потом прикинула к себе свитер, купленный для мужа, и уже собралась выбросить сумку, в которой лежали эти покупки, но, ощутив странную тяжесть этой сумки, заглянула внутрь — и замерла в испуге...

В сумке лежало ожерелье Екатерины Второй — то самое, которое когда-то ей показывал Гжельский. Не веря своим глазам, Алена медленно извлекла его и с опаской оглянулась по сторонам. Но никого не было в квартире, и она снова заглянула в сумку. Там, на самом дне, лежал паспорт. Алена достала его, открыла. С паспортной фотографии на нее смотрел улыбающийся Красавчик, рядом была четкая запись: «ОРЛОВСКИЙ ИГОРЬ АЛЕКСЕЕВИЧ».

Алена еще хлопала глазами, гадая, как попали к ней в сумку эти вещи, когда раздался телефонный звонок. Она сняла трубку и осторожно сказала:

— Алло... — Но тут же облегченно перевела дух. — О, Марго, это ты... Как поживаешь? Приехать к тебе? Сейчас? А что случилось? Сюрприз? Знаешь, один мой друг — его уже нет в живых — говорил мне, что он не любит сюрпризов... Ладно, сейчас приеду... Ну, сейчас приеду, сейчас — тут езды-то двадцать минут...

И, гадая, какой там сюрприз приготовила для нее Маргарита, Алена покатила в Вильфранш по нижней, вдоль моря и пляжей, дороге. А на вилле «Марго», миновав распахнутые для нее ворота, въехала во двор, вышла из машины, прошла, слыша издали хохот Маргариты, по дорожке к дому и... остолбенела: у бассейна, хозяйски развалившись в шезлонге и держа в руке запотевший бокал с апельсиновым соком, сидел Красавчик и улыбался ей самым безмятежным образом.

Сбоку от него Маргарита возбужденно лепетала:

— Ну, Аленка? Как тебе мой сюрприз? Твой друг просто шарман! Он меня совершенно уморил своими байками о том, как вы познакомились возле сельпо в деревне и как вы отдыхали в Испании, в Арабских Эмиратах и в Париже. Почему ты мне ничего этого не рассказывала? Ах ты, шалунья! Но не буду вам мешать, вы давно не виделись, я ухожу, ухожу, ухожу... Алена, я тебя так понимаю, так понимаю!.. Такой шарман!..

Жеманной походкой Маргарита ушла в дом.

— Мерзавец! — сказала Алена. — Как ты посмел?!

Но Красавчик самым безмятежным образом продолжал пить сок через трубочку.

— Ты знаешь, что это за ожерелье? — сказала Алена.

— Конечно, знаю. Граф Орлов подарил его Екатерине Второй.

— А ты украл его у Гжельского.

— Совершенно верно.

— И подбросил мне, чтобы меня арестовали.

— Нет, арестовать собирались меня. Но ты меня, как всегда, спасла.

— Я тебя ненавижу! Только моя жизнь стала нормальной — и снова ты! Уйди! Вон отсюда!

Но он не двинулся с места.

— Алена, где ожерелье?

— Понятия не имею. Убирайся!

— Алена...

— Тогда я уйду! — Она решительно повернулась и пошла к своей машине.

— Алена, отдай ожерелье! — сказал он.

Она подняла руку, показав ему средний палец, потом села в машину и уехала — именно в тот момент, когда из дома вышла Маргарита с ликером «Шартрез» и тремя рюмками.

— Ну? — говорила Марго на ходу. — Как вы тут, мои голубки?..

## 132

Но от судьбы не уйдешь, извините за трюизм. Из настежь открытого окна в гостиничном номере был виден Вильфранш, ступенями спускающийся к Средиземному морю, а в номере, в постели, Красавчик, утомленно закрыв глаза, вполуха слушал Алену. Лежа на его плече, она исповедовалась:

— Если б ты только знал, какая это скука! Из гольф-клуба — на прием, с приема — в гольф-клуб! То мы играем в Шотландии, то на Гавайях, то в Мексике. Конечно, если кому-то рассказать, скажут: «С жиру бесится!» А я с этого жиру выть готова...

— Детка, есть одна идея.

— Нет. Больше я в твоих аферах не участвую.

— Это не афера, это дело.

— Знаю я твои дела! Я говорю: нет. Я замужем, у меня прекрасный муж, и я ни в чем не нуждаюсь.

— Ты же сама только что...

— Мало ли что скажет женщина в постели! Мне же нужно с кем-то отвести душу. Но не втягивай меня ни во что!

— Завтра мэр Вильфранша устраивает прием в честь юбилея города. Вы с мужем будете на этом приеме.

— А ты откуда знаешь?

— Я тоже там буду.

— Ты? Каким образом?

— Я там буду с Марго.

— Что-о?! — Алена даже подскочила в постели.

— Успокойся, у нас чисто дружеские отношения.

Она покачала головой:

— Ну мерзавец!..

Но Красавчик пропустил это мимо ушей.

— На приеме будут мэры всех соседних городов — Ниццы, Антиба, Канн, Минтоны, Граса. Все, что мне от тебя нужно, — это представить меня там как крупного русского бизнесмена.

— Сейчас! — усмехнулась она саркастически. — Лучше я принесу для тебя наручники!

— И мое ожерелье...

— Никогда! Это компенсация за все, что я из-за тебя вынесла.

— Алена!

— Глупый! Забудь! Где ты видел, чтобы женщина отдала ювелирное украшение? Да еще такое!

## 133

Для обозрения историков и туристов купчая Екатерины Второй, по которой граф Орлов купил когда-то Вильфранш-сюр-Мер для Российской империи, висит на стене парадного зала мэрии — большого замка, расположенного в старинной генуэзской крепости на высокой скале над городом.

Но сегодня ни историков, ни туристов в замке не было, зато в главной зале играл оркестр и гости юбилейного бала танцевали, пили шампанское и весело, как дети, хлопали надувные шары.

Алена танцевала с мужем. В новом вечернем платье (и после свидания с Красавчиком) она была настолько красива, что сам мэр Вильфранша, танцуя рядом со своей супругой, сказал по-приятельски Полю:

— Поль, можно я потанцую с твоей красавицей женой?

— Но не больше одного танца! — строго предупредил его Поль.

Алена, смеясь, перешла в объятия мэра, тот, танцуя с ней, сказал:

— Я приношу вам свои извинения, мадам...

— За что?

— Во время вашей свадьбы я был с визитом в Сирии и не смог вас поздравить. Но подарок за мной. Что бы вы хотели?

Алена улыбнулась:

— Ну что можно попросить у мэра города, чтобы его тут же не обвинили в коррупции? О, я знаю что! Моя тетушка пришла сюда со своим русским гостем. Я хочу вас познакомить и попросить оказать ему внимание. Это выдающийся человек.

— Выдающийся — в чем?

— О, во всем! — сказала Алена со смехом и остановилась подле Маргариты и Красавчика. — А вот и они! Марго, представь мэру твоего кавалера.

— Ах ты, ревнивая кошка! — с улыбкой сказала ей по-русски Маргарита и повернулась к мэру: — Клод, познакомься, это мой друг из России граф Игорь Орловский, он выдающийся человек!

Мэр протянул руку Красавчику:

— Мсье, я вас поздравляю! За одну минуту две женщины назвали вас выдающимся человеком. Это интригует. Чем же вы выдаетесь?

— Они преувеличивают, — ответил Красавчик. — На самом деле я скромный бизнесмен с несколькими неплохими идеями.

— Это с какими же?

Красавчик показал на купчую Екатерины:

— Знаете, эта купчая не дает мне покоя. А то, что она подписана моим прапрадедом, делает меня просто ответственным за судьбу Вильфранша.

— Вашим прапрадедом? — изумился мэр.

— Конечно, графом Орловым. А я Орловский. Большевики, как вы знаете, казнили всех дворян, поэтому моим родителям пришлось несколько изменить нашу фамилию. Но дело не в этом. — Красавчик взял под локоть заинтригованного мэра и повел его в сторону. — Знаете, мсье, я хочу обсудить с вами...

Маргарита и Алена, оставшись одни, переглянулись.

— Боже мой! — сказала Маргарита. — Так он из рода графа Орлова! Как ты могла скрывать это от меня?!

За обедом, который был накрыт на поляне перед замком, мэр Вильфранша, сидя во главе длинного стола почетных гостей, произнес длинную речь:

— Мадам, мсье! Вы хорошо знаете, что совсем недавно — каких-нибудь восемьдесят лет назад — наш город принадлежал России. Здесь стоял русский флот, здесь швартовались яхты русских царей. Наша набережная названа именем русской императрицы Александры Федоровны, а наша бухта носит имя графа Орлова, и ему же, графу Орлову, стоит у нас памятник, поскольку именно он два века назад купил эти земли для России, а Россия превратила наш город в жемчужину Лазурного берега. Сейчас я хочу представить вам прямого потомка графа Орлова, обаятельного нового русского бизнесмена — графа Игоря Орловского. Прошу вас, мсье!

И мэр зааплодировал Красавчику, подавая пример всем, и все последовали этому примеру.

Красавчик встал.

— Спасибо, мадам, спасибо, мсье! Спасибо, Клод! Я, конечно, смущен вашим вниманием и немножко волнуюсь. Поэтому я лучше сразу и честно скажу то, что думаю. Я жутко огорчен тем, что из-за этих мерзавцев большевиков мы потеряли Вильфранш! Мое сердце разрывается от горя, когда я смотрю на вас и понимаю, что, если бы не большевики, вы все были бы сейчас моими подданными!..

Гости за столом громко расхохотались, Красавчик, улыбаясь, поднял руку.

— Но если невозможно вернуть Вильфранш России, то можно и, я думаю, даже нужно вернуть русских в Вильфранш! Вот, — он поднял в руке книгу «Ведущие бизнесмены России», — вот, в этой книге сто наших ведущих бизнесменов, сливки сливок русского бизнеса. Вы думаете, у них меньше денег, чем у японцев? Ничего подобного! Вспомните о сибирской нефти, о нашем золоте, алмазах! Я предлагаю пригласить этих бизнесменов сюда. Пусть они походят, посмотрят, вы предложите им какие-то проекты льготных инвестиций в Вильфранш, а потом мы уже на кремлевском уровне разработаем проект межгосударственной кооперации мэрии Вильфранша и правительства России. И пусть этот проект создания благоприятного климата для русских инвестиций в Лазурный берег возглавит комитет под руководством моего друга мэра Вильфранша Клода Албержа, а в совет директоров этого комитета я предлагаю ввести мэров всех городов Лазурного берега. Я с моими связями в России буду с удовольствием им помогать!..

Публика бурными аплодисментами поддержала эту идею, Клод Алберж обнял Красавчика, а мэры всех соседних городов подошли к нему, чтобы пожать руку и чокнуться бокалом.

Позже, стоя с Красавчиком на балконе замка мэрии, откуда открывался прекрасный вид на вечернюю бухту имени графа Орлова и набережную императрицы Александры Федоровны, Алена сказала:

— Я не понимаю, как же ты хочешь их кинуть.

— Знаешь, дорогая, — задумчиво ответил Красавчик, — это первый честный проект, который я придумал.

— Перестань! Мне-то не заливай!

— Клянусь! Да ты и сама подумай: какой русский не захочет иметь на Лазурном берегу виллу, кондоминиум, квартиру или хотя бы тайм-шеринг на местном курорте? А почетное гражданство Вильфранша? А легальный счет в банке? А постоянно открытую визу? А спортивный лагерь для детей? Ведь это же золотое дно! Я буду строить эти виллы, курортные комплексы, санатории для сибирских нефтяников. И ничего не надо воровать! Деньги сами потекут — и какие! Мэр Вильфранша понял это мгновенно и уже дает мне тут офис и статус. Я хочу ввести в комитет Маргариту, тебя и твоего мужа. А в почетные президенты комитета пригласим Ростроповича, Плисецкую, Барышникова, Вяхирева, Потанина, Дьяченко. И возродим русский Вильфранш, я даже построю здесь детдом для русских сирот, детдом имени графа Орлова...

— Я тебя люблю! — вдруг негромко и восхищенно сказала Алена.

Тут на балконе появился Поль, муж Алены.

— Дорогая, познакомь меня с твоим русским другом.

— О, конечно! — сказала Алена. — Поль, это мсье Орловский, мы с ним знакомы тысячу лет! Игорь, это мой муж Поль Лепер!

Красавчик и Поль протянули друг другу руки и посмотрели друг другу в глаза.

В глазах Поля Красавчик прочел все, что могло быть в глазах ревнивого супруга, — бешенство, угрозу и смертельный вызов.

Впрочем, крепко пожав Красавчику руку, Поль с нежной улыбкой тут же повернулся к Алене:

— Мон амур, нам пора, мы улетаем в Таиланд.

— Куда?! — удивилась Алена.

— Я завтра играю в Таиландском гольф-турнире.

Алена озадаченно достала из сумочки записную книжку:

— Постой. У меня в расписании этого нет...

— Ты просто забыла. Пойдем, дорогая. Извините, мсье... — И, нежно взяв Алену под руку, Поль увел ее от Красавчика.

# Часть двенадцатая

# «Шанель №5»

## 134

Солнечный летний день в Париже.

По Сене плывет туристический пароходик, на его палубе туристы из разных стран, и среди них руководители Фонда поддержки воздушных путешествий в защиту мира и прогресса — Седой, Молодой, Толстяк с наколками и Нурахмет Ахметович, «смотрящий» представитель фонда в Европе. Смотрящий в роли гида знакомит москвичей с Парижем, расстилающимся по обе стороны реки.

— Наркоту здесь контролируют арабы, это их кусок. Бордели, стриптизники и уличных проституток — алжирцы. Овощные лавки — турки. Цветы — марокканцы. Моды и парфюм — голубые... Это, между прочим, мост Александра Третьего...

— Иди ты! Солнцевского Сашка? — удивился Толстяк. — Он его чего, приватизировал?

— Царя Александра Третьего! Кувалда!

— А-а! — докатило до Толстяка. — Ну, видишь! Значит, мы Париж еще тогда начали приватизировать! — И Толстяк ткнул пальцем в сторону Эйфелевой башни: — А это чье? НТВ?

Смотрящий отмахнулся:

— Хрен его знает! Но вообще городок ништяк, сами видите. Не Москва, конечно, но кантоваться можно. Одно плохо — французы. Ни на каком языке не волокут, суки, только по-своему...

Седой сурово спросил:

— Мы тебя Смотрящим по Европе когда сделали?

— В прошлом году.

— И ты за год не выучил французскую феню?

— Да откуда у этих лягушатников феня? — возмутился Смотрящий. — Тут одна феня — сплошное «силь ву пле»! Кстати, кто хочет лягушек попробовать?

Но гости скривились от отвращения.

— То-то! — сказал Смотрящий. — А я в этой зоне уже год отмотал!

## 135

В Таиланде, в аэропорту, мсье Поля Лепера и его супругу Алену встречал приятель Поля и лимузин с шофером. Алена села в машину, Поль проследил за носильщиком, загрузившим в багажник их чемоданы и главное сокровище Поля — сумку с его бесценными клюшками для игры в гольф. Щедро одарив носильщика чаевыми, Поль получил от приятеля какой-то пакет, распрощался с ним, сел в машину рядом с Аленой, назвал шоферу адрес, и лимузин тронулся.

В Бангкоке Алена не успевала крутить головой от впечатлений — вокруг были пряная восточная экзотика, рикши, пагоды, пестрые торговые лавки, шум и сутолока азиатской толпы.

— Поль, а мы покатаемся на рикше?

— Обязательно, дорогая! Только не сейчас, позже... — отозвался он, не отрываясь от своей любимой «Файнэншл таймс».

Лимузин проехал через Город Ангелов, выехал из Бангкока и покатил по какой-то проселочной дороге.

— Где же гольф-клуб? — удивилась Алена. — Куда мы едем?

— Скоро увидишь, дорогая.

Но чем дальше они ехали, тем меньше это было похоже на холмисто-цивилизованный рельеф, пригодный для полей для гольфа. Наоборот, по обе стороны дороги возникли какие-то джунгли и болота, затянутые такой пенистой гнилью, которую до сих пор Алена видела только в совершенно нереальных фильмах ужасов.

Лимузин тем не менее катил в эти джунгли все глубже. Тут для полноты впечатлений начался тропический дождь. Алена в недоумении посмотрела на мужа, а он вдруг приказал шоферу остановиться, потом повернулся к Алене:

— Выходи.

— Здесь?! — удивилась она. — Зачем?

— Выйди, нам нужно поговорить.

Водитель, выскочив из машины, открыл дверцу, Алена в недоумении вышла из машины в дождь, за ней вышел и Поль. Шофер сел за руль, лимузин отъехал метров на тридцать и остановился в ожидании.

Алена, тут же промокнув и накрыв голову сумкой, в изумлении огляделась по сторонам. Вокруг не было никого, только крупный, как град, тропический дождь, джунгли и болотный смрад.

— В чем дело, Поль?

Вместо ответа Поль вдруг наотмашь ударил ее по лицу с такой силой, что Алена рухнула в грязь. Но какая-то сила, какая-то тверская, что ли, пружина тут же заставила ее вскочить на ноги, как вскакивали во время драки с черногрязскими парнями долгокрикские ребята.

— Ты что? Сдурел? — крикнула она и зажала рукой окровавленную губу.

Но Поля было уже не узнать. Из мягкого и очаровательного мсье он разом превратился в яростного зверя.

— Шлюха! Русская блядь! Воровка! — кричал он и снова ударил так, что Алена опять не устояла на ногах.

А он все кричал:

— Я тебя поднял из нищеты, из быдла! Я тебя любил! Я дал тебе все, о чем никто в твоей гребаной России даже мечтать не может! А ты мне изменяешь, как последняя блядь! И еще имеешь наглость знакомить меня со своим любовником!

— Ты с ума сошел! — защищалась Алена, пытаясь подняться. — У меня нет любовника! С чего ты взял?

— Нет любовника? А это что? Это? Это? — в ярости выкрикнул он и стал швырять в нее фотографии, они разлетались и падали в грязь рядом с Аленой. На этих фотографиях была Алена с Красавчиком — в своей «альфа-ромео», в обнимку на улицах и пляжах Сен-Тропеза, Сен-Рафаэля, Фрежюса, при входе в отели и мотели в Вильфранше, Грасе, Гурдоне. — Это не любовник? — кричал Поль. — Это просто клиент? Да? Сколько ты с него берешь за ночь? Или ты по часам?

— Да это просто друг! Мой старый друг! Как ты можешь? Я же тебя спасла! Я жизнью из-за тебя рисковала!

— Друг? А это что? — Поль вдруг достал из кармана ожерелье Екатерины Второй. — Друзьям не дарят ожерелья стоимостью в миллионы франков! Ты знаешь, что это за ожерелье?

— Но он же потомок графа Орлова! Это их фамильное...

— Не ври! Я не идиот, я — монегаск! У нас лучшая в мире служба безопасности! Мне все проверили. Это ожерелье находится в розыске Интерпола, и твой любовник пытался продать его в Монте-Карло. А теперь оно хранится у моей жены! Краденая вещь — в моем доме!

Размахнувшись, Поль что есть сил швырнул ожерелье в джунгли.

Алена ахнула.

А ожерелье, даже под дождем сверкая своими голубыми бриллиантами, стало медленно погружаться в болото.

И буквально тут же со всех сторон раздался пронзительный крик.

Поль и Алена испуганно оглянулись и увидели то, что можно увидеть только в голливудских боевиках типа «Крокодил Данди» и «Роман с камнем»: обезьян — кричащих, скачущих по веткам, раскачивающихся на лианах и показывающих на тонущее ожерелье.

Одна из обезьян вдруг не вынесла соблазна, спрыгнула с раскачивающейся лианы, схватила тонущее ожерелье и ускакала с ним в джунгли.

Остальные, крича и хоркая, тут же унеслись за ней.

Поль выхватил пистолет, стал стрелять им вслед, и тотчас где-то в джунглях дико вскрикнула обезьяна, подстреленная, видимо, Полем. А Поль направил пистолет на Алену.

— Я и тебя сейчас пристрелю, мерзавка! И никто тут не будет тебя искать! Кому ты нужна в Таиланде? Твой труп сгниет в болоте! Признавайся в измене! Или — пулю в лицо!

— Только не в лицо! — закричала, плача, Алена. — Да, я тебе изменила, стреляй! Но в сердце, а не в лицо!

— Все, — тут же остыл Поль и продолжил по-деловому: — Я с тобой развожусь. Ты помнишь, что записано в брачном контракте? В случае твоей измены ты не получаешь ничего. Я аннулировал твои кредитные карточки, закрыл счет в банке. Оревуар, шлюха!

И он ушел к лимузину, сел в него и уехал.

Алена осталась одна в джунглях, посреди таиландских болот и под тропическим дождем. Мокрая до нитки, озираясь по сторонам, спотыкаясь, трясясь и плача от страха, она шла по следам лимузина на узкой дороге, но дождь быстро размывал и эти следы.

Где-то совсем близко снова закричали обезьяны.

Вздрогнув, Алена стала лихорадочно рыться в своей сумочке и вооружилась пилочкой для ногтей и трубкой мобильного телефона. Потом медленно, озираясь по сторонам, двинулась дальше.

Прямо перед ней вдруг выскочила из джунглей обезьяна с ожерельем Екатерины Второй, перебежала дорогу.

— Стой! — закричала Алена.

Обезьяна, хоркая, ускакала по веткам.

Алена, всхлипывая, двинулась дальше и услышала шум грузовиков. Она пригляделась — оказывается, совсем рядом, параллельно этой старой дороге в джунглях, было асфальтированное шоссе. По нему неслись грузовики и легковые машины.

Перебравшись вброд по топкому болоту, Алена вышла на шоссе и набрала на мобильнике длинный номер.

— Это я, — сказала она в трубку. — Муж все знает. Он меня только что хотел убить. Из-за тебя...

## 136

Звонок Алены застал Красавчика в его новом офисе в мэрии Вильфранша.

— А где ты? — спросил он в трубку своего мобильного, хозяйски развалившись в кресле за письменным столом. За спиной у него на стене висели портреты графа Орлова и Екатерины Второй, из окна был прекрасный вид на Вильфранш и Средиземное море. — В Таиланде? Спокойно, без паники! Доберись как-нибудь до аэропорта, там в кассе «Эр Франс» тебя будет ждать билет до Ниццы, я сейчас закажу. А в Ницце я тебя встречу. Пока! — И, дав отбой, тут же набрал «Эр Франс». — Бонжур, я хочу заказать билет Бангкок — Ницца для мадам Лепер-Бочкаревой. На мою кредитную карточку. Только через Париж? Хорошо, я согласен...

Тут в его офис вдруг вошли какие-то рабочие и стали выносить мебель, компьютер, копировальную машину. Красавчик в изумлении повернулся к ним на вращающемся кресле:

— Эй, что вы делаете? — И в трубку: — Извините, мадам, это я не вам. Да, да, выписывайте, она возьмет билет в аэропорту! — И, дав отбой, снова рабочим: — В чем дело? Подождите!

Но те продолжали молча выносить мебель и снимать со стен портреты графа Орлова и Екатерины Второй.

Красавчик рассвирепел:

— Черт побери, в чем дело? — И повернулся к мэру Вильфранша, вошедшему в кабинет: — Что случилось, Клод? Что это значит?

— Мне позвонил Поль Лепер, — сухо сообщил мэр. — Ты никакой не потомок графа Орлова, а вор и аферист. Убирайся отсюда и скажи спасибо, что ни мне, ни Леперу неохота пачкать свое имя в газетах.

— Но минуточку! Клод! Русские инвестиции — это не афера, это честный бизнес! Я уже договорился с сибирскими нефтяниками, с Норильском, с алмазниками Якутии...

— Вон отсюда! — И мэр повернулся к рабочим: — Выбросите его!

## 137

Знаменитая летняя духота в Париже рано или поздно заканчивается мощной грозой. И тогда гром раскалывает небо над Эйфелевой башней, ливень сечет отбеленные химеры собора Парижской Богоматери, потоки воды катят под столиками уличных кафе, прохожие ныряют под козырьки и навесы магазинов и даже клошары прячутся от грозы в подземных переходах и в метро. Улицы и площади пустеют, порывы ветра терзают промокшие флаги, гонят по мостовым поломанные зонтики, сорванные со стен рекламные плакаты и прочий мусор. Зябко и неуютно становится в Париже, если у вас нет тут своей квартиры, номера в отеле или хотя бы десяти франков на чашку кофе в теплом кафе.

Набросив на голову капюшон дешевой брезентовой куртки, ссутулившись, сунув руки в карманы, Алена брела по Парижу, ступая по лужам и обрывкам истерзанных ветром афиш. Конечно, она не вернулась из Таиланда в Ниццу. Что ей там было делать теперь, после того, как муж чуть не убил ее за связь с Красавчиком? И зачем ей было снова встречаться с этим Красавчиком, который не принес в ее жизнь ничего, кроме несчастий? Прилетев из Бангкока в Париж, где у нее была пересадка на самолет до Ниццы, Алена вышла из аэропорта Шарля де Голля с твердым намерением начать в Париже новую жизнь — самой, без всяких мужей, Красавчиков и Фондов поддержки воздушных путешествий в защиту мира и прогресса.

Но оказалось, что уютный, милый, красивый и нежный Париж радушен только до тех пор, пока вы платите за его красоту и уют разноцветными франками или на худой конец уныло-зелеными долларами. А если у вас нет тут работы, стипендии, мужа или богатого любовника, то — «пардон, мадемуазель, обращайтесь в Армию спасения»...

Дождь затих, но от этого в городе не стало уютней, а наоборот: мусорщики — молодые арабы в зеленых бушлатах — вышли на улицы собирать мусор и, наглые, белозубые и громкоголосые, пытались заглянуть в лицо одиноко идущей женщине в куртке с капюшоном.

Отшатнувшись от них, Алена перебежала на другую сторону улицы, натянула поглубже капюшон и почти бегом свернула за угол. Здесь было светлей и безопасней — в крошечных ресторанчиках уже сидели люди, что-то ели и пили. Но Алена шла мимо, опустив голову и старясь не смотреть на их еду.

Вот наконец и площадь де Аль. Здесь, на ступенях церкви Сен-Устаж, Армия спасения раздает бездомным бесплатный горячий суп. За этим супом стоит интернациональная очередь — турки, румыны, алжирцы, украинцы...

Отстояв эту очередь и получив пластиковую тарелку с супом и ложку, Алена отошла в сторону, присела на ступеньку. За ее спиной ели какие-то украинки, до Алены доносился их разговор.

— А отут рядом, на Сен-Дени, стриптизников — як грибов!

— Та й шо? Я краще буду вулици заметать, чем за двадцать хранков голяка танцувать! Шо в мэнэ — гордости нэма?

— Вулици заметать! Тэж сказала! Вулици заметать знаеш скильки платят! Таку работу токо те, яки у юнионах, мають!

## 138

Но стоило грозе пройти, как на центральных улицах снова многолюдно, оживленно, шумно. Смотрящий, Седой, Молодой и Толстяк шли в потоке пешеходов по Риволи, и Смотрящий деловито излагал:

— Я предлагаю начать с борделей — свинтить алжирцев, привезти наших телок, они тут всех задвинут! Местные проститутки здесь такое фуфло, ужас!

— Слушай, — сказал ему Толстяк, — а загнуть тут можно?

— Ты ёкнулся, что ли, Кувалда? — вмешался Молодой. — Мы по бизнесу приехали!

— Не, ну просто так, для фарта, — пояснил Толстяк. — Париж все-таки!

— Да пожалуйста! — по-хозяйски широким жестом махнул рукой Смотрящий. — Тырь что хочешь! Я угощаю!

Толстяк тут же свернул к газетному киоску, увешанному журналами, и буквально через секунду вернулся к друзьям, достал из-под рубашки толстый яркий журнал.

— Во! — сказал он хвастливо. — Теперь можно и фотку послать братанам на зону — Кувалда в Париже!

— Рискуешь! — заметил Смотрящий. — Это журнал для педиков.

— Что? — ужаснулся Толстяк.

— А ты что, сам не видишь? — усмехнулся Седой.

Толстяк посмотрел на украденный журнал. На обложке действительно красовались двое целующихся мужчин.

Толстяк стремглав побежал к урне, с отвращением швырнул в нее журнал и брезгливо вытер руки о рубашку.

## 139

Сен-Дени — это действительно улица стриптизников, тут чуть не в каждом окне — рисованные и неоновые вывески с изображением полуголых и голых красоток.

Не глядя на них, Алена шла по мокрому после дождя тротуару и услышала позади себя слабое мяуканье. Пригляделась — крохотный котенок увязался за ней. Алена взяла котенка на руки, прижала к груди, потом спрятала в карман куртки и зашла в один из подъездов, оказавшись в узком, как штольня, помещении высотой в три этажа.

Здесь, на первом этаже, в полутемной гостиной, находился эдакий «стакан» с зашторенными окнами. Возле этих окон топтались полунищие алжирцы. Опуская в монетоприемники десятифранковые монетки, они открывали шторки на окнах и под звуки зажигательной самбы наслаждались танцем стриптизерки внутри «стакана».

С уверенностью постоялицы Алена прошла мимо этих онанистов к витой железной лестнице и стала подниматься наверх. Навстречу ей спускалась тощая филиппинка. Кивнув Алене, она подошла к «стакану» и скрылась в нем, а из «стакана» вышла кубинка, измочаленная двухчасовой вахтой, и вместе с Аленой стала подниматься по лестнице на второй этаж.

На втором этаже были крохотный холл с десятком стульев и мини-сцена. На сцене у шеста невзрачная румынка под музыку делала стриптиз. Зрители — турки и арабы, одетые ненамного лучше тех, кто торчал внизу, у «стакана», — сидели на стульях и шумели, требуя, чтобы румынка ушла со сцены. Кто-то собирался запустить в нее огрызком яблока.

Но у рампы стоял на стреме хозяин стриптизника — 50-летний лысый француз с рыжими усами, он пресекал беспорядки.

Увидев кубинку и Алену, зрители стали кричать:

— Наташа, иди сюда!

— Эй, Жак, убери эту лахудру! Дай нам русскую!

— Наташа, покажи свою попку!

Хозяин жестом позвал Алену, но она — следом за кубинкой — прошла вверх по лестнице, сказав ему на ходу:

— Я сегодня в ночь, с двенадцати до утра...

Кубинка и Алена поднялись на третий этаж. Здесь, под покатой крышей, в маленькой полутемной чердачной комнате было такое же общежитие, как в стриптизнике «Монте-Карло» в Твери: узкие двухъярусные койки, обшарпанные тумбочки и старенький холодильник.

Кубинка, достав из холодильника бутылку с молоком, стала пить из горлышка, потом, сбросив халатик, нырнула в свою койку. Алена слила из ее бутылки остатки молока в пластиковую тарелку и поставила на пол перед котенком. Кубинка молча смотрела на них со своей кровати, Алена сказала ей:

— Я тебе завтра верну молоко.

Кубинка отвернулась и закрыла глаза.

А снизу все громче и громче доносилось скандирование:

— На-та-ша! На-та-ша!.. На-та-ша!!!

Под этот шум в каморку поднялся хозяин, сказал Алене:

— Иди станцуй им.

— Но я же в ночь...

— Это арабская мафия. Если Ширак не может их контролировать, то я тем более. Ты хочешь оставить себе эту кошку — иди станцуй.

Алена со вздохом встала.

## 140

— Н-да, я думаю, ты прав: это не Москва! — разочарованно сказал Толстяк Смотрящему, шагая по Елисейским полям в компании своих коллег из Фонда поддержки воздушных путешествий.

— В каком смысле? — поинтересовался тот.

— Ну, мы уже три дня кантуемся, а я еще ни одной соски не видел! У нас в Москве они штабелями стоят. Ты тут чего, с Дунькой Кулаковой живешь?

— Почему? — обиделся Смотрящий. — Я что, онанист, что ли? Это Париж, смотри! — Он остановился и громко обратился к проходящим мимо девушкам и женщинам: — Катя!.. Оля!.. Наташа!.. Света!..

Проходившая мимо девушка обернулась, сказала по-русски:

— Вы меня?

— Конечно, Светочка! Ты свободна?

Смерив его уничижительным взглядом, девушка повела плечом и ушла.

— Не узнала, — объяснил друзьям Смотрящий и снова стал выкликивать в поток прохожих: — Катя!.. Наташа!.. Маша!..

Но то ли из-за нелетной погоды, то ли еще по какой причине русских девушек нужного им темперамента не оказалось в этот вечер на Шанз Элизе, и друзья переместились на Сен-Дени. Разглядывая вывески стриптизников и публичных домов, они шли по тротуару, а Смотрящий честно предупреждал:

— Братаны, я вам от души не советую. Тут одни занюханные румынки...

— Не трепись, — сказал Толстяк, — глянь, чё написано?

Действительно, на одной из вывесок под названием «BEST LEGS-S-S!» было написано: «NATASHA, RUSSIA».

— Пошли! — сказал Толстяк.

— Но это ж стриптизник, тут без обслуживания! — попытался остановить его Смотрящий.

— Не важно! Наши девочки! Мы договоримся!

— Зачем тебе наши? — резонно вмешался Молодой. — Ты их в Москве не видел?

— Нет, наших мы пропустить не можем! — И Толстяк решительно толкнул дверь.

Впрочем, на первом же этаже, где алжирцы онанировали у окон «стакана», его решительность поубавилась.

— Блин, я такого и на киче не видел...

Однако отступать было поздно — к ним уже подбежал лысый и усатый хозяин:

— Бонжур, товарьиш! Спасьибо! Добры вечьир!

— Во дает! По фене ботает! — сказал Толстяк и спросил у хозяина: — Ты, козел! Как ты узнал, что мы русские?

А хозяин, радостно улыбаясь, уже обнял гостей, подталкивая их наверх и сыпя по-французски:

— Сюда, пожалуйста! У нас прекрасный стриптиз! Живой контакт! Всего сто франков с человека! Вы не пожалеете! Наши девочки — очшен карашо! Садитесь! Всего четыреста франков! Живой контакт!..

Усадив их перед сценой и получив у Смотрящего деньги, он раздал гостям бокалы, достал откуда-то бутылку дешевого коньяку и стал наливать им, говоря без остановки:

— Наш стриптиз — the best! Live contact! Живой контакт! Но девушку руками не трогать! Еще сто франков за коньяк, мсье... — И вдруг хлопнул в ладоши: — Вуаля!

Тут же погас свет и зазвучал «Танец с саблями». Сцена и шест на ней осветились узким лучом, в этом луче появилась женская фигура. Одетая по-матросски и с бескозыркой «Аврора» на голове, она спиной выплыла на сцену и, двигаясь в такт музыке, повернулась лицом к зрителям.

— О! — изумленно сказал Толстяк. — Привет, Алена!

— Привет... — ответила Алена, вглядываясь в темноту зала. — А вы кто?

— А ты поди сюда, узнаешь.

Алена, танцуя, усмехнулась:

— Серый волк, что ли?

— Иди, иди! Не бойся!

— Нам нельзя подходить к клиентам, — сообщила Алена. — У нас контакт только голосом.

— Раздевайся! — негромко напомнил ей по-французски хозяин. — Делай стриптиз!

А Смотрящий удивленно повернулся к Толстяку:

— Ты же первый раз в Париже! Откуда ты ее знаешь?

— Да мы у нее на помолвке гуляли, — объяснил ему Молодой. — Алена, ты «Метрополь» помнишь?

— Раздевайся, раздевайся! — настаивал сбоку хозяин.

Алена, танцуя, стала нехотя раздеваться.

Толстяк восхищенно загорелся:

— Ого! Вот это да!

— Неплохо... — прищурясь, проговорил и Седой.

Смотрящий, поглядев на Седого, тут же сказал Алене:

— Эй, Аврора! Мы тебя забираем! Сколько за ночь?

— Нет, я делаю только стриптиз, — ответила она, танцуя.

— Да ладно, не выделывайся! — усмехнулся Толстяк. — Я тебя беру! Сколько?

— Отпадает. Я же сказала.

— Идем, мы тебе твой должок за верфь спишем...

— Оставьте ее. Она знаете чья? — вдруг сказал Молодой и повернулся к Алене: — Ты вообще знаешь, что тебя твой Красавчик третий месяц ищет?

— Нет у меня никаких Красавчиков, и вообще... идите вы! — На глазах у Алены вдруг появились слезы, и она остановила свой танец. — Идите отсюда!

— Нет, а что я сказал? — удивился Молодой.

— Идите! Идите! И тут достали!

— Эй! В чем дело? — закричал по-французски хозяин. — Что происходит?

Выйдя из стриптизника, Молодой достал из кармана мобильник, набрал номер и сообщил в трубку:

— Игорь, мы тут твою кралю только что встретили. В Париже...

## 141

Красавчик — какой-то потухший, небритый, без прежнего лоска и куража — прокатил, подняв воротник пиджака, на старом велосипеде по темной набережной Сены и свернул на мост у площади Шатле. Конечно, вряд ли он прикатил на этом велосипеде из Вильфранша в Париж, но то, что на сей раз его дела были хуже некуда, было очевидно.

Тем временем там, куда он направлялся, то есть на Сен-Дени, в стриптизнике «BEST LEGS-S-S!», шоу на втором этаже было в самом разгаре: под все тот же зажигательный «Танец с саблями» Алена демонстрировала стриптиз, снимая с себя бескозырку с надписью «Аврора», матроску, юбку. Турки и арабы ревели от восторга и орали «Наташа! На-та-ша!», а когда ее танец закончился и Алена убежала по витой железной лестнице наверх, в общагу под чердаком, эти крики перешли в скандирование. Под этот шум снизу пришли хозяин стриптизника и высокий араб с цветной татуировкой на могучих плечах. Хозяин сказал:

— Извини, Наташа, он тебя забирает.

— Я никуда не пойду, — ответила она, наливая котенку молоко в блюдце. — Я тут делаю только стриптиз, и ничего больше.

Араб, усмехнувшись, достал из-за пояса складной финский нож.

Хозяин, увидев, как лезвие выскочило из ножа, трусливо сбежал, а араб схватил котенка и молниеносным движением отсек ему голову. Отбросил трупик в угол и приставил окровавленный кинжал Алене к горлу.

— Ты, русская блядь! — сказал он по-французски. — Ты меня уже два месяца мучаешь! Или иди со мной, или я тебя прямо здесь...

Что-то негромко хлопнуло, и пуля выбила нож из руки араба.

Араб отскочил, а Алена в изумлении повернулась.

Красавчик стоял в проеме двери, наставив на араба пистолет с навинченным на дуло глушителем.

— Она идет со мной! — сказал он и, не спуская с араба пистолет, бросил Алене: — Собирайся!

— Мне нечего собирать...

— Тогда — ко мне, живо! За спину!

Вдвоем — сначала Алена, а за ней Красавчик с пистолетом наготове — они, пятясь, медленно спустились по витой лестнице, потом вышли на улицу. Красавчик вскочил на свой велосипед.

— Сюда! — показал он Алене на раму.

— На велике? — изумилась она.

— Садись!

Она повиновалась, и они укатили на велосипеде по ночной Сен-Дени.

Справедливости ради следует сказать, что никто их не преследовал.

## 142

Они ночевали на Монмартре, под открытым небом, на траве холма. Внизу расстилался Париж, его обрамленные гирляндами огней площади, улицы и набережные.

— И это все могло быть нашим... — сказал Красавчик. — Но выскользнуло из пальцев из-за твоего мерзавца мужа. Черт возьми, один раз в жизни я хотел сделать честный бизнес... Ладно, что ж! Бросим прощальный «оревуар» и уедем отсюда...

— А куда?

— Не знаю. Может, в Америку поехать?

— Я хочу домой.

— Мы не можем вернуться в Россию нищими, с пустыми руками.

— У меня есть две тысячи франков.

— Где?

— В банке. Я собирала на билет домой. Знаешь, я даже на еде экономила, ела раз в день в церкви Сен-Устаж. Там Армия спасения кормит бездомных...

— Две тысячи франков! — Красавчик презрительно усмехнулся, но затем прищурился, как всегда, когда его посещали новые идеи. — Постой! На эти деньги можно кое-что сделать...

## 143

Как говорит отпетый франкофил Стефанович: «Прованс — это отдельная песня». Разлегшись на старинных библейских, облюбованных еще финикийцами пологих холмах между Альпами и Средиземным морем, эта природная оранжерея производит больше цветов и благовонных трав, чем вся нынешняя Голландия и древняя Месопотамия, вместе взятые. А столицей этой божественной цветочной кладовой является соседний Грас — маленький городок в горах по соседству с Каннами и Ниццей и мировая Мекка парфюмерии, подарившая миру самые знаменитые духи «Шанель № 5». Петляющая горная дорога, которая соединяет Грас с миром, постоянно наполнена рокотом огромных грузовых «мерседесов» с рядами голубых столитровых металлических бочек, крепко принайтованных в их кузовах.

В то раннее утро, до которого добралось наконец наше правдивое повествование, в придорожном кафе, у окна, мимо которого с ревом проезжали эти трудяги-«мерседесы», сидели двое наших знакомых — Алена и Красавчик. Красавчик, вновь распрямивший спину и заостривший свой орлиный взор, пил кофе, курил, смотрел на проходившие мимо «мерседесы» с бочками, потом на свои часы и записывал что-то в блокнот. Затем, спустя несколько часов такой напряженной работы, эта пара вышла из кафе, села в дешевый прокатный «фиат» и покатила вверх по горной дороге. Из-за поворотов дороги навстречу им то и дело выскакивали все те же грузовые «мерседесы» с голубыми бочками в кузовах.

— Куда мы едем? — спросила Алена и принюхалась: — Чем тут пахнет?

— Сейчас увидишь, — сказал Красавчик и не ошибся: за следующим поворотом был Грас и придорожный щит с надписью по-французски:

ДОБРО ПОЖАЛОВАТЬ В ГРАС —
ВСЕМИРНУЮ СТОЛИЦУ ПАРФЮМЕРИИ

Полчаса спустя наши герои в числе других экскурсантов шли по залам Международного музея парфюмерии, вдоль стендов с грандиозными самогонными аппаратами. Гид, который вел экскурсию, объяснял:

— Эти аппараты производят вытяжку цветочной субстанции из лепестков цветов. С помощью жиров — это довольно интересный технологический процесс — ароматические компоненты поступают в дальнейшую обработку. Компонентов таких огромное количество, поскольку рядом с нами находится Прованс с его необъятными природными оранжереями. Лаванда, розы, тюльпаны, орхидеи — сотни самых разных цветов необходимы для производства духов. Но из-за обилия в Провансе природных запахов создавать там духи невозможно. Поэтому столицей парфюмерной промышленности и стал наш Грас, расположенный рядом в чистом горном воздухе. Именно в Грасе живут люди самой редкой и самой высокооплачиваемой профессии во Франции...

Гид подвел экскурсию к стеклянной стене, за которой находилась лаборатория фабрики духов.

— В этой лаборатории работают создатели духов, — сказал он. — Вот они. По-французски мы называем их «носы». Они не имеют права пить алкоголь, есть острое, соленое, пряное, потому что главное их достояние — это потрясающее обоняние, умение различать не только запахи, но даже малейшие оттенки запахов. Эта профессия наследственная, ее тайнам «носы» обучают своих детей буквально с рождения.

Именно эти люди придумывают новые композиции ароматических веществ, их можно считать композиторами духов, и именно им принадлежат патенты на «Шанель № 5», «Кристиан Диор», «Мадам Роша» и все остальные самые знаменитые в мире духи...

После музея они сидели в уличном кафе на бульваре Фрагонар. Вокруг были парфюмерные лавки, толпы туристов, разноязычный гул, разномастные автомобили и туристические автобусы.

— Здесь замечательно! — сказала Алена. — Но зачем мы сюда приехали?

— Слушай внимательно. Здесь находятся три парфюмерные фабрики — «Галимар», «Молинар» и «Фрагонар». Они, как ты только что слышала, производят основные компоненты для «Шанели № 5», «Кристиана Диора» и всех остальных духов. При этом каждый флакончик «Шанели» стоит двести долларов, а, скажем, «Фрагонар Мане» можно купить за десять. Хотя на самом деле это одно и то же — ни один нормальный нос не чувствует разницы. Но французам, конечно, не приходит в голову переклеить этикетку и продавать «Фрагонар» как «Шанель», то есть в десять раз дороже. Потому что это — нарушение товарного знака, уголовное преступление и так далее. Законопослушные французы никогда в жизни на это не пойдут. Но мы славяне, нам все — трын-трава. Ты видела эти грузовики с голубыми бочками? Знаешь, куда катит каждый пятый из них? А?

— Не знаю. Куда?

— В Варшаву и в Познань. Наши польские братки покупают тут «Фрагонар» тоннами, гонят в Польшу, разливают там по флаконам, наклеивают ярлыки «Шанели» и продают как «Шанель № 5» по всему восточному блоку — в России, Казахстане, даже в Турции!

— Ты хочешь сделать то же самое?

— Я бы сделал, но у нас на это нет денег. А вот увести у польских братков хотя бы одну фуру с бочками...

Алена испугалась:

— Ты с ума сошел!

Красавчик улыбнулся:

— Конечно, сошел. С такой женщиной, как ты...

— Я? — возмутилась она. — Опять я? Нет, я этого делать не буду! Даже не мечтай!

## 144

Зденек Короч, сорокапятилетний поляк-дальнобойщик, выехал из Граса на рассвете и покатил свой «мерседес» с бочками парфюмерной эссенции «Фрагонар» навстречу восходу, через Верхние Альпы. Завтракая на ходу бутербродом с краковской колбасой, который он запивал французским молоком под песни своего тезки Зденека Смушальского, польского Вилли Токарева, Зденек чувствовал, что жизнь удалась.

В девять утра он проехал Лион, в полдень Париж, а к закату собирался миновать Берлин, но застрял в чудовищной пробке и благоразумно переночевал в своей кабине на ночной придорожной парковке, а утром снова двинулся в путь и спустя несколько часов въехал в родную Польшу.

В Польше на лесной дороге стояла одинокая девушка с небольшой дорожной сумкой, держала в руке картонку с надписью «Варшава».

Многоопытный Зденек проехал мимо нее, потом, оглядев Алену в боковое зеркальце заднего обзора, затормозил и встал в ожидании.

Алена подбежала к машине, взобралась на подножку и залезла в кабину.

«Мерседес» тронулся, Зденек приглушил музыку, спросил по-польски:

— Ну что? Куда едешь? Откуда?

Алена ответила по-русски, кося под простолюдинку с нижегородским акцентом:

— Та я эта... Я в Познани была, ездила к друзьям.

— А чего там делала? — спросил Зденек.

Маленький дешевый «фиат» с французскими номерами лихо обогнал их и унесся вперед. Алена проводила его взглядом и ответила:

— Та я эта... Привезла им сигареты, но меня обманули. Должны были денег дать, а не дали, сейчас я без копейки. Хочу до Варшавы добраться, а там еще как-нибудь до нашей границы.

Зденек усмехнулся:

— Та шо ты мне брешешь? Шо ты баки заливаешь? Ты така ж челночница, как я профессор. А то я не знаю, зачем русские бабы сюда ездят!

— Зачем? — спросила Алена.

— Да курва ты, проститутка, вот кто!

Тут впереди на дороге возник тот же «фиат» с французскими номерами, который недавно обогнал их с таким форсом. Теперь этот «фиат» стоял у обочины с открытым капотом, Красавчик ковырялся в моторе и, увидев «мерседес», поднял руку, прося о помощи.

— Счас! — насмешливо сказал Зденек. — Это тебе не Франция, курва!

Не сбавляя скорости, грузовой «мерседес» пронесся мимо Красавчика, взгляды Алены и Красавчика на миг встретились, и Алена беспомощно пожала плечами. Но Зденек не заметил этого, продолжал допрашивать:

— Лучше честно скажи: сколько поляков обслужила? Небось триппер схватила, вот и домой едешь лечиться...

Алена притворно заплакала.

Зденек развеселился:

— Что? Правда не нравится? Плачь, плачь! Вы нас триста лет имели, понавезли нам вшей да холеры. А теперь мы вас имеем — и Россию вашу, и всех русских девок! — И для наглядности Зденек кулаком изобразил мощное движение поршня. — Думаешь, ты на мне дуриком проедешь? Нет, платить как будешь?

— У меня нет денег, честное слово!

— Другим расплатишься. Только у нас закон — оплата вперед. Я одно местечко знаю, вот тут, в лесочке...

«Мерседес» притормозил, свернул в лес и по заросшей лесной дорожке, ломая ветки, покатил в лесную чащу.

Алена, изображая испуг, заревела еще громче.

— Ладно, не плачь! — сказал Зденек. — Это я тебя попугал для смеху. Все нормально, я тебя не обижу. И покормлю, и выпить дам, чтоб ты помнила нас, поляков! — Он достал из-за спинки сиденья бутылку сливовицы. — Видишь? Держи! Как тебя звать? Маша или Наташа?

— Наташа...

Зденек хохотнул:

— Вот, я так и знал! Все русские курвы — Наташи или Маши. — Он остановил машину на крохотной поляне, щелкнул рычажком радиотелефона и сказал в микрофон: — Алло, диспетчер! Это Зденек, машина 43-05. Прием!

— Слушаю, Зденек! Ты где? Прием! — откликнулся женский голос польского диспетчера.

Зденек опять пригнулся к микрофону:

— У меня тут перекур на часок. Ну, как всегда, возле бункера. Так что не будите! Прием!

— Ладно, только не увлекайся, береги здоровье! — хохотнула диспетчер.

Алена присмотрелась — действительно, в глубине поляны был вросший в землю столик с лавкой, покосившейся и серой от времени, а за ними — узкий лаз в бункер, скрытый травой. Поверх бункера лежали старые бревна, проросшие кустарником.

Зденек, прихватив хозяйственную сумку, выпрыгнул из кабины, обошел машину, открыл дверцу с Алениной стороны.

— Пошли, Маша! Не бойся! Бутылку не забудь!

Алена вынужденно спрыгнула ему на руки.

Поляк подхватил ее под мышки и с неожиданной для его рыхлой фигуры силой удержал на весу.

— Во, видишь! — засмеялся он. — Я горячий и сильный, и все у нас будет вкусно — и еда, и вообще...

И так, на весу, отнес ее к столику перед бункером, посадил на лавку. Потом открыл свою сумку, выложил на столик домашнюю колбасу, сало, хлеб, нож, пластмассовые стаканы, котелок с огурцами, бумажные тарелки...

— Раз ты домой едешь, — ворковал он, — надо тебя на прощание как следует угостить. По нашему, по-польски. А то, я слыхал, русские мужики уже ни на что не годятся, не зря вы, бабы, все из России бежите. Давай нарежь колбасу, огурчики почисть. Не умеешь, что ли? Тут в бункере знаешь что было?

Алена, поглядывая на лесную дорожку за «мерседесом», принялась нарезать колбасу.

— Что?

— А германский штаб, — сказал Зденек. — Все тут у них оборудовано было — и электричество, и вода. Одно слово — цивилизованная нация, не то что мы, славяне. Вода, между прочим, и сейчас есть, скважина. Хочешь посмотреть?

— Нет. А чистая вода-то?

— Я ж тебе говорю — скважина! Конечно, чистая. Германцы делали! Да ты не гляди на дорогу! Сюда никто не придет, это место только я знаю...

Алена, достав из своей сумки салфетки, довольно красиво накрыла стол.

— А ты молодец, Маша! — Зденек с аппетитом посмотрел на Алену и снова изобразил кулаком поршень. — Ох, я тебя побалую за это! Уж так побалую — отполирую! Долго Польшу помнить будешь!

— Ты бы воды принес. А то водку-то чем запивать?

— Правильно! Сразу видно — профессионалка!..

Взяв котелок, Зденек пошел в бункер, оглядываясь на ходу на Алену и триумфально работая в воздухе кулаком как поршнем.

— Ох, я тебя... Отполирую!..

Алена, проследив, как он скрылся в бункере, спешно достала из своей сумки маленькую бутылочку с клофелином, налила клофелин в один стакан и тут же долила оба стакана сливовицей.

Зденек выбрался из бункера с котелком воды и увидел Алену, сидящую за столиком и пробующую сливовицу из своего стакана. Второй стакан стоял напротив, возле тарелки с закуской для Зденека.

— Ну, как наша сливовица? — спросил Зденек, подходя. — Нравится?

И наклонился к Алене, взял ее за грудь.

Алена со смешком отстранилась, жеманно ударила его по руке:

— Та погоди! Давай выпьем сначала...

— Правильно! — согласился Зденек. — Выпить — это святое! От сливовицы знаешь как у меня все играет? Ух! Ух, я тебя продраю после сливовицы — дышать забудешь!

Он чокнулся с Аленой и залпом осушил свой стакан. Шумно выдохнул, с хрустом надкусил огурец, закусил колбасой, потянулся снова к Алене и вдруг... начал клониться, клониться к земле... закрыл глаза... свалился на землю и заснул, похрапывая.

Алена, сплюнув, брезгливо выплеснула свою сливовицу на землю и оглянулась на хруст веток под чьими-то шагами.

Это из леса вышел Красавчик.

— Слава Богу! — сказала Алена. — А то б я его сама удавила!

Красавчик склонился над храпевшим поляком.

— Я же тебе говорил: клофелин действует мгновенно.

— Только не убивай его!

— Что я, идиот? — Красавчик достал из кармана поляка ключи от грузовика. — Давай бери его за ноги!

Вдвоем они приподняли поляка и волоком оттащили к бункеру. Потом быстро очистили столик, убрав следы еды и привала, и Алена залезла в кабину «мерседеса». Красавчик, став на подножку кабины, приподнял в кузове брезент над голубыми бочками, любовно погладил одну из бочек и тоже нырнул в кабину, сел за руль.

«Мерседес», взревев двигателем, тронулся и, ломая ветки, задом покатил из лесной чащи на дорогу.

Алена включила радио, оно отозвалось веселой польской полькой.

Под эту польку грузовой «мерседес» выкатил из леса на дорогу и помчался на восток, в Россию.

## 145

Когда дорожный указатель впервые показал приближение Бреста, Алена бросилась обнимать Красавчика. Он усмехнулся:

— Подожди! Нэ кажи «гоп», как говорят французы. — И, ведя грузовик, достал свой мобильный телефон, набрал номер, сказал весело: — Алло! Это Фонд поддержки воздушных путешествий в защиту мира и прогресса? Примите заказ на поддержку!.. Да, конечно, это я! Передаю заказ. Мне нужна «форточка» на въезд между Брестом и Гродно для фуры с грузом. Лучше всего в Свислоче через час-полтора. Маржу пополам. Номер машины? Аленка, какой у нас номер машины?

— 43-05, — подсказала Алена.

— 43-05, — повторил Красавчик и дал отбой. — Привет тебе от председателя.

Алена усмехнулась:

— Я уже получала от него привет. Двести грамм тротила.

— А не надо против своих работать! — назидательно сказал Красавчик. — Он же был прав — нужно было кинуть твоего монегаска, ты бы сейчас миллионершей была!

Алена отвернулась к окну. Там, за окном, летели польские пейзажи — деревушки, поля, небольшие лесные рощицы...

— Ладно, не дуйся, — сказал Красавчик. — Я вас помирю. Он правильный мужик, вот увидишь — «форточка» будет нас ждать как часы. — И Красавчик улыбнулся: — Это Петр рубил в Европу окно, а мы их не рубим, мы по-тихому, форточки открываем.

— По-моему, за нами погоня, — вдруг сказала Алена, глядя в боковое зеркало.

— Что? — Красавчик встревоженно оглянулся.

Действительно, сзади их стремительно догоняли два джипа.

Красавчик выжал педаль газа, «мерседес» резко прибавил скорость, а Алена включила радиотелефон, и динамик тут же взорвался криком диспетчерши польских братков:

— Всем водителям! Братки! В районе Белостока кто-то наехал на Зденека и угнал его «мерс»! Машина с номером 43-05 и грузом из Граса! Перекрыть все дороги в районе Белостока! Прием!

— Влада! Влада! — тут же отозвался в эфире мужской голос. — Это Млыжек. Я уже его веду. Дорога Бялысток — Свислочь. Зови всех сюда! Прием!

Красавчик посмотрел назад.

Два джипа уже догнали «мерседес» и пытались пойти на обгон.

Красавчик повел рулем, и его «мерседес» завилял, преграждая им путь к обгону.

И тут же из переднего джипа высунулась мужская фигура с «калашниковым» в руках и открыла огонь, заднее стекло кабины разлетелось вдребезги.

Алена, закрыв голову руками, в страхе сползла с сиденья на пол кабины.

А женский голос в эфире радиосвязи истошно завопил по-польски:

— Млыжек! Не стреляй! Не стреляй! Там же бочки из Граса! Млыжек, как понял? Прием!

— Понял, — недовольно отозвался Млыжек и выругался по-польски.

Красавчик выкрутил руль, грузовой «мерседес» резко свернул с асфальтированного шоссе на узкую лесную дорогу и полетел по ней на предельной скорости. Из-за узости этой дороги преследователи были вынуждены ехать сзади и метались то влево, то вправо, пытаясь найти щелку для рывка вперед и не решаясь на этот рывок даже тогда, когда Красавчик давал им такую возможность, — боялись, что он бортанет их с дороги.

Алена осторожно поднялась с пола и выглянула в окно.

— Они не отвяжутся, — сказала она Красавчику. — Мы влипли! И все из-за тебя! Я не хочу в тюрьму! Я говорила!..

— Цыть! — перебил Красавчик. — Держи руль, садись на мое место!

— Как это? Зачем? — испугалась Алена.

— Так, садись! — Жестко ухватив Алену за плечо, он подтянул ее к себе и заставил взять управление машиной. При этом грузовик, вильнув, чуть не врезался в какую-то сосну, но в последний момент Алена успела овладеть машиной и вернуть ее на дорогу. «Мерседес» и два джипа продолжали свою гонку, Красавчик на ходу открыл дверцу кабины и перелез в кузов, по брезенту и бочкам с фирменными надписями «Fragonard» пробрался в конец кузова. Там он отвязал канат, крепящий задний ряд бочек, перебросил этот канат на следующий ряд и затянул. Подполз к заднему борту, отстегнул бортовые замки и тут же перекатился обратно, за бочки. Уперся ногами в одну из них и нажал изо всех сил...

Алена гнала машину, с ужасом видя впереди просвет и понимая, что лесная дорога вот-вот кончится, джипы смогут обогнать ее.

Но тут бочка, которую толкал Красавчик, сдвинулась, уперлась в задний борт, отбросила его и рухнула из кузова на дорогу под колеса машин преследователей. За ней — вторая...

Джипы, налетев на бочки, улетели с дороги в подлесок, «Мерседес» оторвался от погони и победно полетел прочь.

Красавчик по кузову пробрался вперед к кабине и через минуту оказался снова за рулем, позвонил по своему мобильному в Москву, в свой фонд:

— У нас тут были проблемы, мне пришлось свернуть с курса. Пожалуйста, перенеси «форточку» куда-нибудь южнее, к Чопу. Что? Радио? — Он повернулся к Алене: — Алена, включи радио.

Алена включила, и тут же прозвучал веселый голос польского радиодиктора:

— По сообщению полиции, в районе Белостока у нашей мафии кто-то угнал грузовик с парфюмерным грузом на двести тысяч долларов и гонит к русской границе. Все машины мафии подняты в погоню. Полиция приступила к операции «Перехват»...

— Черт! — в сердцах выругался Красавчик, резко свернул с дороги и покатил напрямик по каким-то полям и огородам на юг, в сторону ближайшего леса и предгорий Карпат.

Нырнув в этот лес, они тараном уложили густой подлесок, вымахнули на почти пересохшее русло какой-то речки и покатили по ней вброд все выше и выше, в гору. «Мерседес» натужно ревел мотором, но тянул, фирма свою марку держала.

— Тучу бы! Тучу! — попросил у неба Красавчик, но небо было чисто, в нем маячил лишь вертолет, да и то недолго.

А голос диспетчерши в эфире радиосвязи вдруг заголосил по-польски:

— Братки! Кто видел грузовой «мерседес» 43-05? Как вы могли его потерять? Куда он делся?..

Его перекрыл голос диктора польского радио:

— Судя по панике в эфире, наша мафия потеряла украденный грузовик...

Красавчик вел «мерседес» все выше и выше по извилистой горной дороге, Алена делала ему бутерброды из запасов Зденека.

Неожиданно впереди за поворотом возникли две полицейские машины, стоящие поперек дороги. У машин торчали польские менты и самодовольно улыбались.

Красавчик остановил машину, круто вывернул баранку, включил заднюю скорость. «Мерседес» развернулся, чуть не рухнув задними колесами в пропасть, и, сшибая кусты, покатил вниз.

Полицейские прыгнули в свои машины и устремились в погоню.

«Мерседес», визжа тормозами на поворотах, летел вниз по извилистой дороге в поросших лесом предгорьях Карпат. Бесценные голубые бочки громыхали в его кузове, натягивая канаты найтовки. Полицейские машины висели у него на хвосте, одна из них догнала грузовик и пошла на обгон.

Алена в ужасе закрыла лицо руками.

— Пристегнись!!! — закричал ей Красавчик, вильнул рулем и бортом «мерседеса» ударил полицейскую машину, сбросил ее с дороги.

Но вторая машина продолжала преследование.

Алена судорожно пристегнулась ремнем безопасности, Красавчик тоже. Его руки вцепились в баранку, а правая нога скакала с педали газа на тормоз и обратно. За окнами с дикой скоростью мелькали стволы деревьев.

Неожиданно впереди возник трактор с прицепом, стоящий поперек дороги. Кабина этого трактора и его кузов щетинились стволами автоматов.

А в кабине «мерседеса» Красавчик и Алена услышали мужской голос по радиосвязи:

— Влада, вот он! Мы его нашли! Сейчас мы его сделаем!..

Красавчик снова круто вывернул баранку и... грузовой «мерседес» на полной скорости вылетел с дороги...

Алена дико закричала...

А «мерс», переворачиваясь, покатился по горному склону. Голубые бочки фирмы «Fragonard» стали вываливаться из кузова и, подпрыгивая на пнях и корягах, тоже покатились вниз, в пропасть, раскалываясь на острых камнях и орошая польскую землю бесценной парфюмерной эссенцией.

Потом «мерседес», наткнувшись на могучий дуб, завис над пропастью колесами вверх.

Красавчик, вися головой вниз на ремнях безопасности, скосил глаза на Алену.

И встретил ее точно такой же, искоса, взгляд.

— Загораем? — спросил он.

— Что? — сказала Алена.

— Загораем, я говорю?

— В каком смысле? — с медлительностью парашютирования на землю спросила Алена и, вися вниз головой на своем ремне безопасности, огляделась вокруг. Оказалось, что прямо под ней был провал пропасти, а по ту сторону провала — дивный высокогорный пейзаж.

Но разглядывать этот пейзаж, вися вниз головой, было неудобно, к тому же в этот момент сверху, с горы, сорвалась голубая бочка, застрявшая в кустах, и пролетела мимо Алены вниз, в пропасть.

— Вот я и спрашиваю, — сказал Красавчик, — какой смысл девушке такой красоты так бездарно тратить время? Ведь так и жизнь пройдет на фоне этого провала, будто ее и не было. Правильно?

Алена, балдея от его неуместной болтовни, тупо молчала.

— Так, может, покатаемся? — предложил Красавчик.

— Куда?

— А куда угодно! Можем в Тверь, можем в Москву, можем в Париж, а можем и в Монте-Карло.

Тут до Алены дошло, она улыбнулась:

— А Монте-Карло — где это?

— Монте-Карло, девушка, — сказал Красавчик, — это город на Лазурном берегу. Неплохое, скажу тебе, местечко, и живут там, между прочим, настоящие принцы и принцессы. Поехали?

Еще одна бочка, сорвавшись где-то вверху, докатилась до них и раскололась буквально рядом.

— Нет, — сказала Алена Красавчику, — я с тобой уже никуда не поеду. Вечно я с тобой попадаю!

— Да, — улыбнулся он. — Но зато какой запах! «Шанель»!

# Часть тринадцатая

# Побег

## 146

Будничный день на Московском ипподроме. На беговых дорожках жокеи тренируют лошадей — отрабатывают шаг, бег иноходью и рысью...

Вдоль бровки идут хозяин ипподрома и председатель Фонда поддержки воздушных путешествий в защиту мира и прогресса.

— Красивые у тебя лошади, — говорит председатель. — И вообще мне тут нравится — воздух, трава, солнце. Прямо в центре города! Красота! Душа отдыхает...

— Так заходите почаще, — польщенно отвечает хозяин. — Вы же знаете, мы вам всегда рады.

— Но работаете вы не на полную катушку...

— То есть?

— Ну, доход же идет только от трибун.

— Конечно. А откуда ж еще?

— А если из ресторана сделать элитный клуб — со стриптиз-баром, с сауной? А?

— Это какие вложения нужны! — развел руками хозяин. — Где же их взять? Вы дадите?

— Ну почему сразу «дадите»? Нужно внутренние резервы использовать, внутренние...

Так, переговариваясь, они заходят в конюшню. Здесь рабочие моют и вычесывают лошадей, жокеи стоят группой, курят. Хозяин ипподрома подходит к жокеям:

— Значит, так, ребята. Слушайте сегодняшний расклад. Во втором забеге первым приходит Богема, в пятом — Кристалл, в четырнадцатом — Резвый. Остальные заезды можете бежать как хотите. Всем ясно?

— Ясно... — отозвались жокеи. — Заметано... Первый раз, что ли?

Хозяин вернулся к председателю, тот усмехнулся:

— Ну вот! Приятно иметь дело с человеком, который умеет так быстро находить внутренние резервы.

## 147

Поезд Варшава — Москва шел на восток. В коридоре общего вагона у последнего купе торчали два вооруженных польских охранника, сторожили арестованных. Рядом с ними курил полицейский офицер с папкой в руках.

Арестованные Красавчик и заплаканная Алена — оба в наручниках — сидели за столиком у окна, смотрели на проплывающие за окном польские пейзажи и негромко разговаривали.

— Хватит, не плачь! — говорил Красавчик. — Подумаешь, депортация! Через полчаса граница, там нас освободят, я тебе обещаю! Там все заряжено...

— Я... я тебе уже не верю... — устало всхлипывала Алена.

— Ты лучше другое скажи, — отвлек он ее от грустных мыслей. — Через полчаса с нас снимут наручники, отдадут паспорта, и у нас появится возможность начать жизнь с чистого листа. С чего бы ты хотела начать? Поедешь к маме в деревню? Будешь искать работу? Что ты будешь делать?

— А ты?

— Нет, я первый спросил. Чего ты вообще хочешь в этой жизни?

— Я?.. Я... я хочу узнать, кто ты на самом деле. Да, кто ты есть? Расскажи мне.

— А что ты хочешь знать?

Алена усмехнулась:

— Все, но только честно. Так Андрей говорил. Нет, в натуре: откуда ты взялся? Кто родители? Ну?

— Ладно, — сказал он. — Честно так честно. Отца своего я не знаю, и мама его тоже не знала, ей было пятнадцать лет, когда ее схватили в подъезде, завязали глаза и... ну, сама понимаешь... Когда мне было два года, она не выдержала издевательств соседей, бросилась в речку и утопилась. А меня забрали в детдом. Поскольку дело было в Орле, мне дали фамилию Орловский, это в детдомах делают сплошь и рядом. В детдоме я был самым хилым ребенком, все дети меня били, а воспитатели еще избивали нас ремнем за малейшую провинность. Видела фильм «Подранки»? Очень жизненная картина. Кормили нас ужасно, я помню картофельный суп — это была вода с одной картофелиной на двадцать человек. Все остальные продукты воровали наши воспитатели. Я выжил только потому, что тайком пробирался на помойку и ел картофельную кожуру, которую выбрасывали с кухни...

Алена, потрясенная, слушала, распахнув глаза.

— С тех пор, — продолжал Красавчик, — я, если ты заметила, никогда не ем картошку, даже в лучших ресторанах... Н-да... В четыре года я нашел куда можно прятаться от этой ужасной жизни. В библиотеку. Туда никто не ходил, все дети играли в футбол или бегали воровать жмых на соседний рынок. А я залезал в библиотеку и сидел там часами, рассматривал книжки. Не знаю, каким образом, но я сам научился читать, никто мне не показывал буквы. Это была трофейная библиотека, там были книги и русские, и немецкие, и французские. А мне же было все равно, я выучил все буквы и в шесть лет читал на трех языках. Потом меня, конечно, на этом поймали и избили — люди, как ты знаешь, не любят, когда кто-то умнее их. Особенно воспитатели. Директор детдома бил меня сам, он был офицер и бил меня офицерским ремнем с пряжкой...

Алена смотрела на него влюбленными глазами, и слезы опять потекли по ее щекам.

— Бедный мой... Дорогой... — сказала она, утирая мокрые от слез губы. — Я не знала этого... Я тебя никогда не брошу...

Поезд остановился на границе, в вагон вошли польские пограничники, стали проверять паспорта у пассажиров.

— Панове! Панове! Пачпорт...

У последнего купе полицейский офицер предъявил им папку с документами на Красавчика и Алену. Взглянув на эти документы, пограничник уважительно присвистнул и с явным любопытством посмотрел на Алену и Красавчика.

— Читали про вас в газетах, читали! — сказал он по-польски. — Вот вы какие... Даже отпускать жалко...

Но электровоз загудел, и поляки покинули вагоны.

Проехав по мосту через Прут, поезд опять остановился, но уже у платформы на российской стороне. В вагон вошли российские пограничники и офицер милиции с нарядом. Пограничники стали проверять паспорта у пассажиров, а офицер милиции прямиком подошел к купе, которое стерегли польские охранники. Здесь польский офицер вручил ему папку с делом Красавчика и Алены и их паспорта, снял с Красавчика и Алены польские наручники и козырнул русскому офицеру. Тот расписался в акте о приеме депортированных, и поляки ушли.

Красавчик облегченно поднялся, разминая запястья рук, потом достал из кармана «Мальборо».

— Ну слава Богу! Спасибо, ребята! — сказал он и протянул сигареты пограничникам. — Курите?

— Сидеть! — вдруг грубо прикрикнул на него офицер. — Руки на стол! Руки! — И, достав из-за спины наручники, стал надевать их Красавчику.

— Как? — изумился Красавчик. — Вы что, не получили... указаний?

— Мы все получили. Следуйте за мной! — хмуро сказал офицер и приказал своим милиционерам: — Берите его!

Менты взяли Красавчика за локти и повели к выходу, офицер двинулся за ними.

— А это... — растерянно сказала Алена. — А я?

Офицер повернулся:

— Ой, извините! — И подал ей ее паспорт. — Вот, вы свободны.

Алена от изумления даже онемела, забыла поблагодарить.

Офицер вышел, поезд тронулся, Алена взглянула в окно.

Там, на платформе, милиционеры грубо тащили Красавчика к своей милицейской машине.

Алена приникла к окну, но поезд уже набрал ход...

## 148

В тире Фонда поддержки воздушных путешествий в защиту мира и прогресса председатель, отстреляв из «глока» по мишеням и отдав пистолет для перезарядки, подошел к Алене.

— Хреновы дела, Алена, хреновы! — сказал он. — Грузовик с духами — это фигня, мелочь, это мы закрыли. Тем более что тот поляк хотел тебя изнасиловать, вы у него грузовик угнали в порядке самообороны. Верно?

— Ну да, — подтвердила Алена.

— А спекся твой Красавчик на другом. Он какое-то бесценное ожерелье свистнул у Гжельского из сейфа. Как он до этого сейфа добрался, ума не приложу! Там такая охрана! Гжельский теперь всю милицию на рога поставил! У него, оказывается, видеокамера над сейфом стоит, и на пленке твой Красавчик и в фас, и в профиль — как он это ожерелье берет. Что против этого можно сделать?

Алена похолодела.

— А это... А давно там видеокамера стоит?

— Хрен его знает! Гжельский! Он же все на видео снимает — и как с прокурором в бане парится, и как с компаньонами переговоры ведет. У тебя, по-моему, с ним тоже что-то было...

— Это к делу не относится, — отрезала Алена. — Красавчик — ваш человек, он залетел за решетку, а у вас Фонд поддержки полетов, вы должны его вынимать. По понятиям.

— Ишь как ты научилась разговаривать! — удивился председатель.

— Ваша школа. Нужно замочить этого Гжельского, и все!

Тут председателю поднесли заряженный пистолет. Но Алена перехватила его, стала на исходную позицию и расстреляла мишень — пули легли в «восьмерки» и «девятки».

— Неплохо, — сказал председатель, забирая свой «глок». — Только Гжельского уже не замочишь, он сам кого хочешь замочит — он теперь в правительство вошел. Но... Есть одна контора — чудеса делают. Президента от прессы защищают, олигархов — от президента, и вообще...

— Что за контора? Как называется?

— «Маркович и партнеры», адвокатская фирма. Но знаешь, сколько это может стоить?

Алена безразлично пожала плечами:

— Это ваши проблемы.

Офис адвокатской фирмы оказался недалеко от центра. Алена — одетая в деловой костюм и «откалиброванная» деловой прической и макияжем — подошла к парадной дубовой двери с небольшой медной доской «Маркович и партнеры» и нажала кнопку звонка. Но дверь не открылась, вместо этого женский голос произнес откуда-то сверху, словно с небес:

— Слушаю вас, девушка.

Алена поняла, что ее видят изнутри.

— Я к Марковичу Генриху Павловичу, — ответила она, ища глазами видеокамеру.

— Вам назначено? — спросил голос.

— Да.

— Ваша фамилия?

— Бочкарева. Алена Бочкарева.

После короткой паузы голос сказал «входите», щелкнул внутренний замок, и Алена открыла дверь.

При входе, в коридоре, за столом сидела секретарша, окруженная телефонными аппаратами, компьютером и экранами видеокамер. Телефоны негромко звонили. Смерив Алену быстрым взглядом, секретарша сказала в промежутке между телефонными звонками:

— Присаживайтесь, — и тут же отвлеклась на очередной звонок. — Алло, адвокатское бюро. Марковича? Представьтесь, пожалуйста... Ой, извините, Борис Абрамович, я вас не узнала, богатым будете. Он сейчас на переговорах, я передам, что вы звонили... Алло! Адвокатское бюро...

Алена села, огляделась.

В длинном коридоре было несколько дверей. Из этих дверей то и дело выходили мужчины в деловых костюмах, при галстуках, с папками и фолиантами в руках. Поглядывая на Алену, они делали ксерокопии на стоящей в коридоре копировальной машине, курили, снова оглядывались на Алену и исчезали в кабинетах. А секретарша без остановки отвечала на телефонные звонки:

— Адвокатское бюро. Извините, Татьяна Борисовна. Генрих Павлович на переговорах, он вам непременно позвонит... Алло! Адвокатское бюро...

Наконец в глубине коридора распахнулась дверь, и вместе с клубами дыма оттуда вышли несколько разгоряченных мужчин с ослабленными узлами галстуков и усталыми лицами, знакомыми Алене по телеэкрану, — не то политики, не то олигархи. Продолжая что-то обсуждать, они шли по коридору во главе с высоким худощавым мужчиной с пышной седой шевелюрой. Секретарша взглядом показала ему на Алену, и он придержал шаг:

— Вы ко мне?

Алена встала, демонстрируя себя во всей своей деловой красе:

— Да.

— Прошу вас. — Маркович широким жестом показал ей на открытую дверь своего кабинета.

Кабинет у Марковича оказался светлый, просторный, с широкими окнами на улицу, со стенными книжными стеллажами и огромным письменным столом, заваленным деловыми папками.

— Понимаете, Алена Петровна, — сказал он Алене, выслушав ее и откинувшись в кожаном кресле, — судиться с такими людьми, как Гжельский, — дорогое удовольствие. Конечно, если у вас есть деньги, мы возьмемся за это дело, мы работаем на коммерческой основе. Но даже в этом случае я не могу вам ничего гарантировать. Если есть пленка, на которой снято, как ваш друг берет ожерелье из сейфа, то что же я могу сказать судье? Уж лучше, я считаю, уговорить истца забрать заявление.

— Я согласна, — поспешно ответила Алена. — Пожалуйста, уговорите.

Маркович мягко улыбнулся:

— Хорошо, давайте вместе подумаем: какие у меня могут быть доводы? А? Как вы считаете?

— Ну, я не знаю...

— И я не знаю. Потому что купить-то Гжельского нельзя. Нет, ну, можно, наверно, но вы же понимаете, какую он назовет цену. Даже вашего фонда не хватит...

— Как же быть?

— Знаете, Алена Петровна, я, конечно, не могу вам советовать... Это не в наших правилах... Но... Бывают исключения, знаете... Я читал одну романтическую историю, когда невеста бросилась в ноги не то Емельяну Пугачеву, не то батьке Махно и отмолила жизнь своего жениха. А у вас с арестованным тоже, как я понимаю, романтические отношения...

— То есть мне идти к Гжельскому?

Маркович развел руками:

— Во всяком случае, *мне* нечего ему предложить.

— Но меня к нему и не пропустят!

— А вот об этом я договорюсь, — сказал Маркович. — Он наш клиент.

## 149

Длинный лимузин Гжельского в сопровождении двух джипов с мигалками свернул с моста на Софийскую набережную и остановился. Гжельский вышел из лимузина и с выражением вынужденного внимания на лице направился к Алене. Но по мере приближения к ней его лицо менялось, поскольку Алена выглядела совершенно неотразимо — из прежней смазливой провинциалки она за прошедшее время превратилась в стильную юную даму с европейским шармом и российской красотой.

— Вот это да! — сказал он. — Ты просто богиня!.. Ну, я тебя слушаю.

Алена усмехнулась:

— Да, уж подари мне минуту. Давай пройдемся...

Вдвоем они пошли вдоль набережной.

— При чем тут ожерелье? — пренебрежительно говорил Гжельский. — То есть ожерелье, конечно, жалко, но не в нем дело. В сейфе лежали пленки с бесценной информацией, а твой дружок их похитил. Я был у него в тюрьме, сам его допрашивал, сказал, чтобы он вернул пленки. А он дурака валяет.

— На этих пленках сняты и мы с тобой? — спросила Алена.

Гжельский поморщился:

— Стал бы я из-за этого огород городить! Слушай, давай так. Хотя я сказал прокуратуре, чтоб они держали его в полной изоляции, я тебе сделаю с ним свидание. И если он вернет мне пленки, я это дело закрою. Но если нет, то... я за его жизнь не ручаюсь.

И Гжельский прямо и жестко посмотрел Алене в глаза — так, что и потом, в «Матросской тишине», ожидая Красавчика в комнате для свиданий, Алена не могла забыть этот взгляд.

Но вот конвоир, гремя ключами, завел Красавчика в эту комнату, объявил:

— Свидание — двадцать минут. Друг к другу не подходить, разговаривать по-русски.

Алена поднялась со стула, глядя на Красавчика. Он явно сдал, осунулся, небрит.

— Здравствуй... — сказала она с болью и повернулась к конвоиру: — Можно я его поцелую?

— Нет. Сидите!

— А закурить тут можно?

— Курите...

Алена закурила, протянула пачку Красавчику.

— Отставить! — сказал конвоир.

— Тут ничего не спрятано, клянусь!

— Отставить.

Алена встала, подошла к конвоиру вплотную, протянула ему зажженную сигарету:

— Отдай ему сам. Пожалуйста.

Она стояла так близко от конвоира, что почти касалась его грудью. И, глядя на нее, он не смог ей отказать, взял сигарету и передал Красавчику.

— Спасибо... — Красавчик затянулся и от наслаждения даже закрыл глаза.

Алена повернулась к конвоиру:

— Мне обещали, что мы будем одни.

— Десять минут, — ответил тот, посмотрел на часы и вышел из камеры, но через «намордник» продолжал следить за их свиданием.

— Где пленки? — негромко спросила Алена у Красавчика.

Он улыбнулся:

— Какие пленки?

— Не выделывайся! Гжельский сказал: если ты не отдашь пленки, живым отсюда не выйдешь.

— О-о! Так вот от кого ты пришла!

— Дурак! Какой ты дурак! Я *люблю* тебя! Но ты не знаешь этого человека...

— Зато ты его хорошо знаешь.

— Отдай ему пленки, прошу тебя!

— У меня нет никаких пленок.

— Зачем они тебе? — взмолилась Алена. — Пойми: он тебя закажет — если не здесь, то в зоне!

— Зона не его территория.

— Ты сошел с ума! Теперь все их территория, все!

Конвоир открыл дверь:

— Свидание окончено. — И приказал Красавчику: — На выход!

Красавчик направился к двери, Алена, едва не плача, выкрикнула ему вслед:

— Ну пожалуйста! Отдай! Тебя убьют...

Но Красавчик ушел не ответив.

Выйдя из тюрьмы, Алена зашла в продмаг, купила бутылку «Гжелки» и дома, в крошечной однокомнатной квартире, которую она снимала на деньги фонда, сама, сидя на кухне, налила себе полный стакан. Ей хотелось выть и плакать, но слез уже не было в ее душе.

За окном была вечерняя Москва с ее блеклыми огнями и неясным городским шумом. Алена смотрела на этот город — теплый и жестокий, добрый и злой, сытый и голодный, красивый и страшный, — и вдруг... вдруг как-то сама собой всплыла у нее в памяти старая песня, которую давно, в детстве, она слышала от старух в Долгих Криках. И Алена тихо и горестно запела сама себе:

Под тенью навеса
На выступе гладком
Сидел у колодца Христос.
Пришла самарянка
В обычном порядке
Наполнить водой водонос.
Христос ей сказал
Поделиться водою,
Она же ответила: «Нет,

Ведь я самарянка,
А с нашей средою
Общения, кажется, нет».
Христос ей сказал:
«О, если б это ты знала,
Кто воду живую творит,
Сама бы просила,
Сама бы искала
Того, кто с тобой говорит!»

«Отец наш Иаков, —
Она отвечала, —
Дал воду живую
В сиянии Божьего дня».
Христос ей сказал:
«Приведи сюда мужа».
Ответила: «Нет у меня».

«Ты правду сказала,
Ты пять их имела,
И этот не муж у тебя...»
«Пророк ты, я вижу!
Скажи, где молиться
За наше спасенье, скажи!»
«Не тут и не там,
А везде и повсюду,
Где сердце любовью горит.
Об этом Мессия
Поведает людям,
Мессия с тобой говорит!»

И тут самарянка
Бегом побежала,
Забыла про свой водонос.
И встречным кричала,
И всех приглашала:
«Идите! Явился Христос!..»

## 150

На Пушкинской, 15, в проходной Генеральной прокуратуры адвокат Генрих Маркович предъявил свой паспорт дежурному по бюро пропусков:

— Маркович к следователю Шапиро.

Дежурный выписал ему пропуск, сказал:

— Третий этаж, 307-й кабинет.

— Я знаю. Спасибо.

Маркович показал пропуск постовому и прошел через двор к зданию прокуратуры.

— От дожились! — заметил дежурный постовому. — И сажают евреи, и вынимают евреи.

— Однозначно, — ответил постовой.

А в 307-м кабинете Маркович сказал следователю:

— Я пришел ознакомиться с протоколами допросов Орловского. Но я не понимаю, почему следствие о краже какого-то ожерелья, пусть даже дорогого, ведет Генеральная прокуратура?

Усмехнувшись, следователь Шапиро — молодой, широкоплечий, с фигурой штангиста — одну за другой выложил на стол толстенные папки-скоросшиватели. Десять папок... пятнадцать... двадцать... двадцать пять...

— Теперь понимаете? — сказал он.

— Что это?

— Дело Орловского.

— Минутку! Там же всего один эпизод — ожерелье.

— *Был* один эпизод, — с нажимом на «был» сообщил Шапиро. — А за ним потянулись другие — из Интерпола, Арабских Эмиратов, Испании, Франции... Ваш Орловский — международный аферист. Если бы мы жили в Америке, он получил бы десять пожизненных сроков. Но мы его, конечно, ни арабам, ни испанцам не выдадим, мы не выдаем своих граждан. У нас он получит всего пятнашку. Правда, с гарантией — от звонка до звонка. При всем моем уважении к вам, Генрих Павлович!

— За одно ожерелье?

— Это *бесценное* ожерелье, Генрих Павлович. Национальное достояние.

— Но в таком случае и моего клиента следует содержать адекватно. Иначе это достояние может выплыть бог знает где, — с подтекстом предупредил Маркович.

Шапиро улыбнулся:

— Заверяю вас, коллега, мы это понимаем.

Выйдя из проходной прокуратуры, Маркович сел в свою машину. Здесь, в машине, его ждали Алена и председатель Фонда поддержки воздушных путешествий. Маркович завел машину, отъехал, машина влилась в поток транспорта и покатила по Бульварному кольцу.

— Ну, Генрих Павлович! Что там? — нетерпеливо спросила Алена.

— Знаете, Алена Петровна, — ответил он, ведя машину, — не в моих правилах отказываться от дела, если я уже взялся. Но с другой стороны, и не в моих правилах скрывать от клиента правду. Вашего друга вытащить нельзя.

— Но ведь вы Маркович! Вы самый знаменитый!..

— Спасибо. Но даже если бы у меня была мания величия в последней стадии, я все равно обязан был бы рассказать вам одну историю. Недавно в Америке было очень громкое дело: спортсмена Оу-Джея Симпсона судили за убийство жены, знаменитой актрисы. А защитник Шапиро спас его от электрического стула, развалил все обвинения. И знаете почему? Не потому, что он Шапиро, нет. А потому, что прокурор был не Шапиро, понимаете? А тут все наоборот: тут прокурор Шапиро, вот в чем беда.

— Подождите! При чем тут Шапиро — не Шапиро? Ведь государство-то наше, российское! А Красавчик против государства ничего не сделал! Если он кого-то кидал, то только тех, кто кидал государство! Вы вспомните по делам!

— Да, Алена Петровна, это хороший довод, но только для закулисных разборок. А в суде я об этом и заикнуться не могу. Перед законом любой грабеж — это грабеж: что государства, что личности. Даже если эта личность нам отвратительна. В этом и сила, и слабость демократии.

Алена в отчаянии повернулась к председателю:

— Что же нам делать?

— Что делать, что делать! — сказал тот. — Придется обратиться к другому адвокату. Был когда-то еще один знаменитый адвокат, он говорил: мы пойдем другим путем. Вот и мы с тобой пойдем другим путем. Вокруг Шапиро.

# 151

По случаю воскресного дня и хорошей погоды на Московском ипподроме было многолюдно. Но правительственные VIP-ложи, обрамленные флагами и рекламными щитами, были в связи с сезоном летних отпусков заполнены всего на четверть, и Алена, сидя почти в одиночестве в одной из VIP-лож, неуверенно крутила в руках программку забегов и какой-то билетик. Потом обратилась к пожилому благообразному мужчине с залысинами, тоже в одиночестве сидевшему неподалеку от нее:

— Извините, вы мне поможете разобраться?

— С удовольствием, — отозвался тот. — Что вас интересует? Подсаживайтесь.

Алена пересела в его ряд.

— Понимаете, я тут первый раз, мне подруга дала свой входной. Я поставила в кассе на каких-то лошадей — просто назвала цифры, которые пришли в голову. А что теперь будет, не знаю.

Мужчина взял ее бумажки и снисходительно улыбнулся:

— Вы поставили на «длинного» — две лошади в двух забегах, второй и пятый. Но должен вас огорчить: во втором забеге вы поставили на Богему, а в пятом — на Кристалла. Я хожу сюда одиннадцать лет — ни Богема, ни Кристалл ни разу не пришли даже в первой пятерке.

— Да? — разочарованно протянула Алена. — Жалко... А вы на кого поставили?

— Я поставил на Пламенного в третьем забеге и на Молнию в пятом.

Алена по-детски обиженно надула губки:

— Конечно! Если ходить одиннадцать лет! Вы, наверно, всегда выигрываете!

Он усмехнулся:

— Скажу вам честно, как на суде: очень редко!

— Правда? А зачем же вы сюда ходите? — Она понизила голос и оглянулась по сторонам. — Я тоже слышала, что тут всех обманывают.

— Ну, я играю понемножку и хожу сюда не за деньгами, а для разрядки, — сказал мужчина. — Просто я очень напряженно работаю, и бега для меня — эмоциональная разгрузка. А вы, наверно, очень азартная девушка, если так огорчились своему проигрышу.

— Ну во-первых, я еще не проиграла, — решительно заявила Алена. — А во-вторых, знаете что? Раз уж вы тоже не часто выигрываете, то у меня есть предложение. Давайте сыграем с вами в личную лотерею.

— Это как?

— А так: махнемся билетиками! Я буду играть вашим билетом, а вы моим.

Мужчина улыбнулся этой детской хитрости:

— Это зачем же?

— А просто чтоб интересней было! Ну! Решайтесь! — И Алена протянула ему свой билетик.

— А если выигрыш? Мне же будет неудобно ваш выигрыш забирать. Или вам — мой...

— Хорошо. Тогда сделаем так: если я выиграю по вашему билету, я исполню любое ваше желание. А если вы выиграете по моему билету, вы исполните любое мое желание. Идет?

— Ну, знаете, девушка... От этого трудно отказаться. Идет.

Они обменялись билетами, и в это время над стадионом прозвучало:

— Внимание, внимание! Бега начинаются! В первом заезде бегут...

И — началось обычное на ипподроме безумие: по хлопку стартового пистолета лошади с жокеями выскакивали из кабин стартовой площадки и летели вперед по дорожкам, а трибуны орали, бесновались и болели за лошадей и жокеев. Уже через пару минут Алена, подхваченная всеобщим азартом, подпрыгивала на трибуне, кричала вместе со всеми и совершенно забыла о своих ставках.

Второй забег...

Третий...

Пожилой мужчина с залысинами, сосед Алены, сначала любовался ее темпераментом, а потом посмотрел на табло и на Аленин билетик, который перешел в его руки, и сказал изумленно:

— Знаете, ваша Богема пришла первой...

Алена отмахнулась:

— Она уже не моя, она ваша... — И, подпрыгивая, закричала вместе со всем ипподромом: — Мол-ни-я!.. Мол-ни-я!..

Но Молния, которая шла первой, вдруг сбилась с рыси на иноходь, и первым к финишу пришел Кристалл. По радио объявили:

— Внимание! Сегодня уникальный выигрыш! На «длинного» во втором и пятом забегах выпал выигрыш — двадцать восемь тысяч долларов! Победитель может получить свой выигрыш в кассе...

Мужчина с залысинами ошарашенно посмотрел на Алену:

— Вот видите, что вы натворили...

— Ничего страшного! — сказала Алена. — Это ведь только деньги. Зато теперь вы мой должник.

— И что вы хотите?

Алена кокетливо улыбнулась:

— Я не могу так сразу, я должна подумать.

— Сколько? Минуту? Две?

— Нет, знаете, я тугодумка.

Он удивился.

— Хорошо. Тогда запишите мой телефон.

— Зачем? — сказала она. — Мы еще встретимся.

## 152

И они действительно встретились. Но не на ипподроме, а на Космодамианской набережной, в ветхом трехэтажном особняке Замоскворецкого народного суда.

В небольшом зале суда публики было битком. Здесь и председатель Фонда поддержки воздушных путешествий в защиту мира и прогресса, и сотрудники этого фонда, и откровенные братки, и пресса, и журналисты телевидения, и представители польского и пакистанского посольств.

Прокурор Шапиро зачитывал обвинительное заключение:

— Обвиняемый Орловский Игорь Алексеевич, криминальная профессия: вор и аферист по кличке Красавчик, образование незаконченное высшее...

Алена, сидя в первом ряду рядом с Марковичем, пристально смотрела на судью. Это и был тот пожилой мужчина с залысинами, который по ее билету выиграл на ипподроме $ 28 000. А он, почувствовав Аленин взгляд, посмотрел на нее и от изумления застыл на месте. А потом, все поняв, опустил глаза.

Между тем прокурор продолжал:

— Позвольте пару слов сказать о происхождении обвиняемого. В своих показаниях следствию он заявил, что круглый сирота, воспитывался в детдоме. Это чистая ложь. Мы установили, что Игорь Орловский родился в семье первого секретаря Зарайского обкома партии, кандидата в члены ЦК КПСС с 1985 по 1987 год. Его мать была заведующей кафедрой марксизма-ленинизма Зарайского государственного университета, доктор наук...

Алена с округлившимися от изумления глазами посмотрела на Красавчика, сидевшего под охраной в решетчатой клетке.

— До 1985 года, — продолжал прокурор, — он учился в престижном Московском институте международных отношений, но ушел с третьего курса и занялся преступной деятельностью. С 85-го по 89-й год неоднократно задерживался органами милиции, но каждый раз высокое положение родителей позволяло им замять дело. После падения советской власти, когда это прикрытие кончилось, Орловский ушел под крышу организованной преступности, потом благоразумно уехал на Запад, но и там не прекратил свою преступную деятельность, у нас есть представления на него из прокуратур Испании, Марокко, Арабских Эмиратов, Франции, Монако, Польши и Пакистана. Но самое главное, ваша честь, у нас есть видеопленка, которую я хочу показать...

Подойдя к видеомагнитофону, Шапиро нажал кнопку, и на экране возникли кадры видеосъемки:

*Красавчик крадется по темному кабинету Гжельского...*

*Красавчик подходит к сейфу...*

*профессионально открывает его...*

*извлекает из сейфа какие-то коробки...*

*складывает их в сумку...*

*извлекает последнюю — маленькую — коробочку, открывает ее, достает из нее ожерелье...*

*любуется им...*

*кладет его в карман...*

В тот же день, вечером, Алена сидела дома, смотрела телевизор. По телевизору шла программа «В поисках истины». Ведущий Арсений Сусалов — тот самый, который работал на Красавчика в афере с жидким плутонием, — показывал судебный процесс Красавчика: зал заседания суда, судью, Алену с Марковичем, прокурора. И говорил:

— Сенсацией этой недели стал судебный процесс Игоря Орловского, которого обвиняют в крупнейших международных аферах и ограблениях...

Звонок в дверь отвлек Алену от телевизора, она подошла к двери, открыла. За дверью стоял судья — пожилой мужчина с залысинами.

— Ой, это вы! — удивилась Алена.

— Вы меня не ждали, извините, — сказал он. — Я могу войти?

— Конечно. Пожалуйста...

Судья прошел в комнату, Алена засуетилась:

— Чай? Кофе?

Он внимательно огляделся по сторонам.

— Нет, ничего не надо. Я на минуту. Зашел посмотреть, как живут азартные девушки. Вы тут одна?

— Да... А почему, собственно...

— Сейчас вы поймете. Знаете, я ведь тоже человек азартный, вы это видели на ипподроме. Но помимо этого, я еще и честный. И как честный человек, я обязан вам сказать: я не смогу выполнить ваше желание. А поэтому... — Судья достал из кармана толстую пачку стодолларовых купюр, положил на стол. — Вот, здесь все двадцать восемь тысяч.

## 153

— Маркович!

— Маркович выступает!

— Да тише вы! Дайте послушать!..

Коридор в помещении Замоскворецкого суда был забит журналистами, телеоператорами и сотрудниками Фонда поддержки воздушных путешествий. А в маленьком зале судебного заседания просто яблоку негде было упасть, поскольку знаменитый Маркович, одетый под тон своей седины в светло-серый костюм с темно-красным галстуком, произносил защитительную речь.

— Да, — говорил он, — мы видели на экране человека, похожего на моего подзащитного. Но значит ли это, что он Орловский? Разве мы с вами не имели прецедента, когда суд, глядя на такую же видеопленку, признавал человека, похожего на Генерального прокурора, вовсе не Генеральным прокурором? Так неужели в нашем обществе есть двойные стандарты видения — для прокуроров одни, а для простых людей другие?

В зале раздались смех и аплодисменты.

Но судья, нахмурившись, постучал карандашом по графину с водой, и зал затих.

— И неужели, — продолжал Маркович, — прокуратура может диктовать суду, кого тут видеть виновным, а кого — похожим на виновного? Да, человек, похожий на моего подзащитного, действительно изъял из сейфа господина Гжельского какие-то коробки. Но почему истец не явился в суд? Он, будучи членом правительства, считает себя выше суда? Или он просто боится наших вопросов о том, что же было в этих коробках? Очередной компромат? На кого? Когда телевидение демонстрировало нам ту пресловутую пленку с девочками в постели с неизвестным лицом, то сам бывший Генеральный прокурор именовал эту пленку чистой провокацией, используемой в политических целях. Я считаю, что это в равной степени относится и к нашему процессу. Конечно, прокуратуре удобно навесить на невинного человека столь громкое дело. Но она не сделала главного — она не доказала, что человек, похожий на экране на Орловского, — именно он, Игорь Орловский. И потому я предлагаю суду немедленно освободить моего подзащитного из-под стражи прямо здесь, в зале суда!

Братки, председатель, сотрудники и сотрудницы Фонда поддержки воздушных путешествий в защиту мира и прогресса, а также Алена встретили это заявление горячими аплодисментами.

Судья снова постучал карандашом по графину с водой и объявил:

— В заседании объявляется перерыв до завтра.

В машине, сидя на заднем сиденье, Алена пылко сказала Марковичу:

— Спасибо! Вы произнесли замечательную речь! Спасибо!

Маркович, ведя машину, усмехнулся:

— Девочка, все, что я сказал, — пыль. На самом деле дела очень плохи. Прилетел представитель Интерпола, им надоело гоняться за вашим Красавчиком по всему миру. Это им слишком дорого обходится. А нашей прокуратуре и милиции Интерпол вот так нужен, это большая политика. И потому что бы я ни говорил — не имеет никакого значения. В подарок Интерполу ваш Красавчик получит пятнадцать лет, и ни днем меньше!

— Как?! — в отчаянии воскликнула Алена. — Но его... его же убьют в лагере! Мне сам Гжельский сказал! — И Алена повернулась к председателю фонда: — Сделайте что-нибудь! Умоляю вас!

Председатель бессильно развел руками.

— Остановите машину! — решительно потребовала Алена.

— Зачем? — спросил Маркович.

— Остановите, я сказала!

Маркович затормозил.

Алена вышла и, еще держа дверцу открытой, произнесла дрожащим от слез голосом:

— Вы... вы... вы никогда не любили!

Хлопнула дверцей и ушла прочь.

## 154

В Твери, на местном рынке шла очередная показательная разборка с кем-то из строптивых продавцов. «Быки» Стаса, брата Алены, громили прилавок этого продавца — летели на землю банки со сметаной, катились по земле бидоны с молоком, вдребезги разбивались бутыли. А самого продавца злобно били ногами.

— Мы тебе говорили не опускать цены? Говорили, сука?

Остальные продавцы молочного ряда и весь рынок в ужасе наблюдали за этой экзекуцией, а посреди рынка стоял темно-зеленый джип с шофером, возле него, опершись на капот, высился Стас и наблюдал за реакцией продавцов. Потом громко спросил:

— Ну, еще есть диссиденты?

Рынок молчал, «диссидентов» не было.

Стас усмехнулся, махнул рукой своим «быкам», и те пошли вдоль торгового ряда, собирая дань с продавцов. Продавцы и продавщицы — местные и приезжие кавказцы — с привычной покорностью платили рэкетирам. Стас эдаким големом-надзирателем прошелся по рынку и вдруг увидел Алену.

Она стояла в воротах рынка, ждала конца разборки.

— О! — сказал Стас. — А ты тут откуда свалилась?

— Хочу поговорить.

Стас глумливо усмехнулся:

— А я не хочу. Иди отсюда!

— Слушай, — сказала Алена, — твоя как фамилия?

— Ну, Бочкарев. А что?

— И я Бочкарева. Ты же понимаешь, что я не уйду. Идем посидим где-нибудь. Я угощаю. — И, повернувшись, Алена не оглядываясь пошла с рынка.

Стас посмотрел ей в спину, удивленно крутанул головой и пошел следом.

В трактире возле рынка, когда была споловинена бутылка водки и съедены какие-то закуски, Алена посвятила его в свой план и сказала:

— Конечно, я знаю, что ты скажешь. Я отняла у тебя дом, я на тебя наехала москвичами и прочее. Да, было, наехала. Но не для себя же. А для нашего отца. Отец живет в доме?

— Живет...

— Вот и хорошо. А теперь... Мне не к кому больше обратиться. Я твоя сестра, мы одна кровь. Сегодня ты меня выручишь, завтра я тебя — мы Бочкаревы. Прошу тебя, брательник, — помоги.

Стас сказал:

— Знаешь, Алена, смотрю я на тебя и думаю: а ведь клевая у меня сеструха! И чё мы с тобой раньше никогда не выпивали? Давай за родную кровь! — Он чокнулся с ней стаканом и выпил.

Она поддержала:

— Давай, брат! За тебя! — И выпила свой стакан не поморщась.

## 155

В зале заседаний Замоскворецкого суда секретарь суда объявила:

— Встать, суд идет!

Алена, Маркович, председатель фонда, журналисты, Стас Бочкарев со своей бригадой и все остальные присутствующие в зале (в том числе Красавчик в решетчатой клетке) поднялись.

В зал вошли судья и народные заседатели, заняли свои места.

— Оглашаю приговор, — сказал судья и стал читать с листа: — Именем Российской Федерации судебная коллегия Замоскворецкого народного суда, рассмотрев в открытом судебном заседании уголовное дело по обвинению Орловского Игоря Алексеевича, имеющего незаконченное высшее образование, не состоящего в браке, не работавшего и занимавшегося кражами, мошенничеством, контрабандой, незаконным оборотом драгоценностей и вымогательством радиоактивных элементов, в совершении преступлений...

Тут судья остановился, принюхался и продолжил:

— ...в совершении преступлений, предусмотренных статьями 158-й, 159-й, 161-й, 191-й и 221-й Уголовного кодекса Российской Федерации...

Вновь прервавшись, судья поднял голову, посмотрел в зал и удивился:

— Что такое? Что это?

В зале из-под пола и из щелей в стенах шел дым. Публика начала кашлять, кто-то закричал: «Пожар!» — и его тут же поддержали с разных сторон:

— Горим!

— Пожар!

— Спасайся!

А дым уже заволакивал зал, женщины с визгом бросились к двери, возникла паника, давка и полный кавардак. В этой неразберихе кто-то безуспешно пытался открыть окно, кто-то ударил по голове милиционера, охранявшего клетку с Красавчиком. Судья, закрыв лицо руками, убежал в совещательную комнату. Польского и пакистанского дипломатов сбили с ног и чуть не затоптали. У Сусалова разбили телекамеру. В совещательной комнате судья, кашляя от дыма, стучал по телефонному аппарату, потом в сердцах отбросил трубку:

— Как всегда! Телефон не работает!..

А паника нарастала, дым уже заволок коридоры и все трехэтажное здание суда, люди очумело выскакивали из особняка, а кто-то предусмотрительный — в противогазе — выпрыгнул из окна, сел в темно-зеленый джип и уехал.

## 156

На рассвете в Подмосковье, в глухой зоне на берегу Медвежьего озера, в деревенском доме, окруженном забором, были слышны звуки борьбы, глухие удары и тяжелое дыхание.

Это Алена била Красавчика подушкой:

— Сирота? Из детдома? Картофельными очистками питался? Трепло несчастное! Вот тебе! Вот!

Отбросив подушку, она, дурачась, бросилась на него врукопашную, уложила на лопатки в постели и прижала своим весом.

— Все! Сдавайся!

— Сдаюсь, сдаюсь! — сдался Красавчик.

— То-то! Вот я и получила тебя в полную собственность! Тут ты в моей власти, никуда не денешься! Будешь меня любить? Говори: будешь?

— Буду.

— Нет, не так! Нужно говорить: буду, принцесса! Говори!

— Буду, ваше высочество.

— А слушаться меня будешь?

— Буду, ваше высочество.

— А мои приказы выполнять?

— Буду, ваше высочество.

— Тогда пойди чайник поставь и дрова наколи.

И Красавчик послушно колол дрова, любил Алену, парился с ней в сауне на берегу озера, ловил в этом озере рыбу, жарил шашлыки на костре, катал «ее высочество» на лодке, пил с ней вино у камина, и снова любил, и спал с ней в обнимку, и однажды проснулся от резкого автомобильного гудка.

Алена тоже проснулась.

Гудок повторился — резко, настойчиво.

Красавчик рывком достал из-под матраца пистолет, осторожно подошел к окну, выглянул наружу и облегченно выдохнул воздух — за воротами дачи стоял «мерседес» председателя Фонда поддержки воздушных путешествий.

Алена, набросив деревенский сарафан, распахнула ворота дачи, председатель въехал во двор и открыл багажник.

— Дед Мороз гостинцы привез, — сказал он и оглядел Алену. — А то похудели вы тут у меня. С чего бы это?

Алена заглянула в багажник. Он был заполнен пакетами и пластиковыми сумками из магазина «Седьмой континент». Продукты, фрукты, овощи, бутылки...

— Ого! Спасибо! — Алена чмокнула председателя в щеку.

— Всего-то! — огорчился он.

Потом они сидели у камина, Алена и Красавчик читали свежие газеты с репортажами о побеге Красавчика из зала суда. Председатель достал из кармана два паспорта.

— Вот ваши новые паспорта. Я приеду за вами через неделю, когда будет готово «окно». Пойдете через Выборг, на барже по Сайменскому каналу. Игорь, ты знаешь, как это делается.

— Знаю, — сказал Красавчик.

— Между прочим, Алена, вчера твоя мать мне раз двадцать звонила. Откуда она взяла телефон?

— Не знаю. Может, Андрей ей когда-то дал... Что сказала?

— Меня не было в офисе. Секретарша записала, чтобы ты срочно ей звонила.

— Куда? У мамы же нет телефона.

— Ну, я не знаю...

— Странно. Можно мне ваш мобильный?

Председатель дал ей свой мобильный телефон.

Алена набрала номер и вышла с телефоном на кухню.

— Алло! Почта? Мне Виктора. Витя, ты? Это Алена. Моя мама от тебя звонила? Что? Как украли? Настю украли? Кто? Ты шутишь! Чеченцы? Настю? В заложницы?!

## Часть четырнадцатая

# Выкуп

## 157

Сельская дискотека. Гремит музыка, «оттягиваются» в танце сельские парни и девчата, среди них — Настя, 14-летняя сестра Алены, и Руслан, ее юный цыганский ухажер. В полночь, разгоряченные танцами, парни и девчата компаниями и парами выходят из дискотеки, расходятся пешком и разъезжаются на велосипедах и мотоциклах...

Компания ребят из Долгих Криков направляется к своему трактору с прицепом. Настя и Руслан, отстав, идут следом за ними.

Напротив дискотеки стоит «Волга» с четырьмя мужчинами. В темноте невозможно различить их лица, но слышен негромкий разговор:

— Эта, что ли?

— Да, эта... Только пацана не троньте.

— Ладно, двинулись!

Водитель заводит мотор, мужчины натягивают на лица вязаные шапочки с прорезями для глаз, «Волга» срывается с места и подлетает к Насте и Руслану.

Двое мужчин в масках выскакивают из джипа, хватают Настю, тащат в машину.

Настя кричит, вырывается.

Руслан бросается в драку с похитителями, долгокрикские ребята, обернувшись на шум, бегут ему на помощь.

Увидев это, один из похитителей сильным профессиональным ударом вырубает Руслана, Руслан падает.

Мужчина, остававшийся в машине, кричит:

— Эй! Я же сказал: его не трогать...

Похитители заталкивают Настю в машину, машина срывается с места и стремительно уезжает.

Руслан остается лежащим на земле...

## 158

Конверт был из Чечни, с чеченским почтовым штемпелем, но без обратного адреса, а буквы в словах «Бочкаревой А.П., Долгие Крики, Тверская обл.» были вырезаны из газеты и неровно наклеены на конверт.

— А где твой Роман? — спросила Алена, оглядывая горницу, в которой снова было чисто и убрано, как до цыганского нашествия.

Но мать уклонилась от прямого ответа. Глядя на двухлетнего Артема, который играл на полу с кошкой, она сказала:

— Нет, Алена, ты на цыган не думай. Наоборот, его племяш защищал Настю, мальчика чуть не убили. И вообще, это не из-за них, а из-за тебя.

— Меня? — удивилась Алена. — В каком смысле?

— А ты почитай! — Мать кивнула на конверт.

Алена открыла конверт, достала его содержимое — газету «Знамя труда» и листок с наклеенным на него текстом. В газете была фотография Алены и огромная статья «ТВЕРСКАЯ ПРИНЦЕССА ПОКОРИЛА МОНАКО».

— Вишь, чего про тебя написали, — сказала мать. — Что ты из грязи в князи, стала «Мисс Тверь» и бросила родину, во Франции живешь, как принцесса, и замужем за мильонером.

По ее интонации нетрудно было понять, что мать это осуждает не меньше газеты «Знамя труда».

Алена отложила газету и прочла текст, наклеенный на лист бумаги вырезанными из газет буквами. Он был кратким и простым:

ПРИНЦЕСА! ХОЧЕШ ВИДЕТ СЕСТРУ ЖИВОЙ,
ГОТОВЬ ПЯТСОТ ТЫСЯЧ БАКСОВ

— Ты в милицию заявила? — спросила Алена.

— Заявила.

— И что?

— А то! Руками развели, говорят: сейчас таких заложников сотни. И не у таких, как я, детей крадут, а у серьезных людей — банкиров, иностранцев. Так что нам самим нужно ее вытаскивать.

— Самим? Как это — самим?

— Ален, ты чего, с луны свалилась? Или забыла во Франции? У нас теперь каждый за себя, и милиция — то же самое.

— Но как мы можем сами ее вытаскивать?

— Знамо как. Отдать деньги.

— Ма, ты соображаешь?! Откуда у нас такие деньги?

— У нас-то нету. У тебя...

Алена изумилась:

— У меня?! Откуда?

Мать подняла сына на руки, обиженно надула губы:

— Ну как же! В газете написано откуда.

— Мама, ты с ума сошла! Ты что — газетам веришь?

— Я глазам своим верю, Алена, — сказала мать. — И ты на себя посмотри. Ты раньше разве такая была? Идем, Артемка, чего с них, нынешних, брать? Чеченам за родную сестру и гроша не дадут...

Мать ушла с Артемом в другую комнату, Алена в оторопи осталась за кухонным столом с письмом-требованием и статьей «ТВЕРСКАЯ ПРИНЦЕССА ПОКОРИЛА МОНАКО». С газетной страницы на нее смотрела Алена — прежняя, лихая и отвязная девчонка, какой она была на конкурсе «Мисс Тверь». Алене даже не нужно было зеркало, чтобы понять, насколько та Алена отличалась от нее сегодняшней — взрослой, хваткой и знающей цену себе и другим.

Достав из сумочки «Мальборо» и зажигалку, она закурила и, прищурившись, как Красавчик, поглядела в окно.

## 159

Руслан, Настин ухажер, лежал в сельской больнице, в убогой общей палате.

— Ты кто?.. Ты кто?.. — тупо, как невменяемый, спрашивал он у Романа, который согбенно сидел у его койки. — Ты кто?..

— Я тебе говорил: я Роман, твой дядя.

— А я кто?.. Я кто?..

Алена, вспомнив своих соседей в психушке, вышла из палаты, остановила проходящего мимо врача.

— Доктор, этот мальчик — он долго так будет?

Врач пожал плечами:

— Кто знает? У него серьезная травма, амнезия.

Из больницы она отправилась в райцентр, в районную милицию.

— Заложница? — сказал ей там лейтенант. — Это — в область. Мы этим не занимаемся...

Но в Твери, в управлении областной милиции, дежурный капитан только разозлился:

— Блин! Эти чечены уже и сюда достали! Кто вам сказал, что мы ими занимаемся?

— В райотделе.

— Много они знают, в райотделе! Если ее заложницей увезли, как мы ее будем доставать? Что я за ней — в Чечню поеду?

— А кто?

Капитан, удивленный такой постановкой вопроса, посмотрел Алене в глаза. Но Алена ответила ему прямым требовательным взглядом, и он слегка стушевался:

— Не знаю. В Москву поезжайте. Москва Чечню заварила, Москва пусть расхлебывает.

Алена, повернувшись, вышла из дежурки, а капитан возмутился:

— Совсем обнаглели!

Алена, однако, решила идти до конца. Но в Москве у ворот Министерства внутренних дел на Октябрьской площади ее дальше проходной не пустили, дежурный по бюро пропусков сказал:

— Заложники — это не сюда, это в РУБОП.

— А тут что?

— А тут министерство.

— А РУБОП — это что?

— А РУБОП, девушка, — это Управление по борьбе с *организованной* преступностью. Улица Шаболовка, 6.

Но и на Шаболовке ее отфутболили:

— Нет, вам не сюда. По заложникам у нас два управления, оба на Садовой-Спасской, 1/2. Это у Военторга, в бывших казармах царского полка...

С трудом, но она нашла и этот адрес. В огромных конюшнях Екатерины Второй, переделанных затем под казармы лейб-гвардейского императорского полка, шел новый ремонт и перестройка под самые крутые управления спецопераций МВД и РУБОПа. По случаю этого ремонта все стены тут были в известке, по коридорам гуляли сквозняки, а в спальных залах гвардейцев его императорского величества не было ни мебели, ни перегородок для будущих кабинетов.

Алена и майор Дугин — 33-летний круглолицый и бритый наголо здоровяк в камуфляже — шли по широкому и пустому коридору мимо ведер с известкой, банок со шпаклевкой, щеток и стремянок. Дугин на ходу говорил:

— Сейчас это стало эпидемией, чеченцы сделали из этого бизнес. В Грозном есть даже рынок заложников, там их продают как рабов. Кому нужен молодой рабочий, покупает нашего пленного солдата. Или просто обмениваются заложниками, за которых можно получить выкуп. Сюда проходите...

Он завел Алену в большую и почти пустую комнату с огромными окнами во двор. На окнах не было ни штор, ни занавесок, пол был в пятнах, стены не побелены. Единственной мебелью тут были обшарпанный письменный стол сороковых годов и два раскладных металлических стула. На столе — телефон, электроплитка с чайником и банка с растворимым кофе. На стене за столом — карта РФ с флажками.

— Извините, — сказал Дугин, — у нас ремонт. Присаживайтесь...

Сев за стол напротив Алены, он включил плитку, достал из стола чашку и граненый стакан.

— Кофе будете?

— Нет, спасибо.

— Напрасно. — Дугин насыпал кофе из банки в стакан. — Чашка мытая, и кофе у нас — «Нескафе». Значит, что я могу вам сказать? Если честно, вот карта, на ней флажки — это откуда людей похитили, увезли в заложники. Девочку — из Саратова, двух мальчиков — из Волгограда, мальчика и двух девочек — из Астрахани, еще мальчика — из Москвы. Это по детям, мы ими занимаемся в первую очередь, это у министра на контроле. А по взрослым — только в этом году почти шестьсот эпизодов. Можно я посмотрю письмо?

Алена подала ему письмо, он рассмотрел штемпели на конверте, поддел ногтем марку.

Алена в сомнении следила за его действиями.

— Штемпель из Шали, — сказал Дугин, — но письмо написано в Ножай-Юрте, эти марки есть только там, на почте.

Дугин достал из конверта газету и письмо.

Алена, осмотревшись, сказала разочарованно:

— И что? Вы *тут* занимаетесь вызволением заложников?

— Мы, — подтвердил Дугин, рассматривая письмо с требованием о выкупе.

— А как?

Отложив письмо, Дугин развернул «Знамя труда», стал читать статью об Алене.

Алена нервно повторила:

— Вы тут сидите, и что? Как вы их освобождаете?

Но Дугин, не отвечая, продолжал читать.

— Там все неправда, — сказала Алена. — У меня нет таких денег.

Дугин крякнул.

— М-да... Но им вы это уже не докажете. — Он отпил кофе из граненого стакана. — Значит, так, девушка. Вы правильно сделали, что пришли к нам. Теперь вам придется какое-то время ждать, потому что сейчас они вас просто прессуют психологически, как и всех родственников заложников. Тут ничего не поделаешь — в Чечне война, и девочка за линией фронта, нам туда не достать. Придется набраться терпения и ждать следующего сообщения от похитителей. Думаю, оно будет через неделю. Они выйдут на связь обязательно. Тогда мы начнем переговоры.

— Какие переговоры? — возмутилась Алена. — О чем? Это бандиты! Эту Чечню вообще надо всю уничтожить!

— Там есть разные люди... — заметил Дугин. — Знаете что, Алена? Мой вам совет: идите домой и напишите нам заявление на имя министра. Мол, так и так, моя сестра похищена из деревни, у нас многодетная семья, отец — бывший репрессированный диссидент, боролся за идеалы новой России. Честно вам скажу: у нас это первый случай, чтобы ребенка из деревни похитили.

— И что министр? — с сарказмом усмехнулась Алена. — В Чечню полетит?

— Я за министра не могу сказать, что он сделает. Но хуже не будет.

Алена, поколебавшись, сказала:

— Ладно, дайте мне лист бумаги, я тут напишу.

— Знаете, — смутился Дугин, — с бумагой у нас небольшие проблемы. У нас сейчас бумаги нет. Вы же видите — мы только переехали...

Алена встала, решительно забрала письмо и газету.

— До свидания!

— А вот это вы зря, — сказал Дугин. — Имейте в виду: похитители — профессионалы, и работать с ними должны тоже профессионалы. Иначе...

Алена не выдержала, сорвалась:

— Это вы тут профессионалы? — Она показала на пустые стены. — Здесь? Да вы... вы... У России детей воруют! У страны — понимаете? А вы тут кофе пьете! «Профессионалы»! — И, хлопнув дверью, ушла.

## 160

Такси летело по Калужскому шоссе. Алена, сидя на заднем сиденье, глотала слезы и смотрела на счетчик.

— А быстрей можно?

— А куда быстрей-то? — сказал водитель. — Пожар, что ли?

Алена промолчала. В Фонде поддержки воздушных путешествий ей сказали, что председатель уехал на дачу, и Алена высчитала, что сегодня как раз тот день, когда он должен был приехать на Медвежьи озера за ней и Красавчиком.

— Сейчас налево...

Машина с асфальтированной дороги перешла на грунтовую, потом на проселочную.

— Здесь! Остановите.

— Но тут ничего нет, — удивился водитель.

— Ничего, я дойду, у меня денег в обрез.

Он остановился. Алена выгребла из сумочки все, что было, — точь-в-точь по счетчику. Вышла из машины, посмотрела, как водитель развернулся и уехал, потом прошла вперед метров сто и свернула на почти неприметную лесную дорогу к озеру. По этой дороге — бегом до дачного забора с воротами, застучала кулаками в калитку. Но за калиткой была полная тишина, и она закричала:

— Эй! Это я, Алена! Открывайте!

После этого в калитке открылась прорезь глазка, голос председателя фонда сказал:

— Не ори. Ты одна?

— Одна, одна! Господи, слава Богу, я вас застала!

Действительно, она поймала их буквально на выезде — во дворе Красавчик, одетый по-дорожному, уже сидел в «мерседесе» председателя.

Алена подбежала к нему, он изнутри открыл ей дверцу машины.

— Молодец! Успела. Садись.

— Я никуда не еду. У меня чечены сестру украли. Мне нужно полмиллиона, — выпалила Алена.

— Сколько?!

— Ты слышал. Пожалуйста! Она в Чечне, в Ножай-Юрте! Они там с ней не знаю что сделают! Я тебя умоляю! Я же тебя сколько раз спасала!

— Да у меня вообще нет денег. Ты же знаешь, я все отдал за «окно» и документы.

Алена повернулась к председателю фонда и, не теряя времени, бросилась перед ним на колени.

— Пожалуйста!!!

— Извини, — сказал он, идя к воротам. — Но такая сумма...

Алена на коленях пошла за ним.

— Я отдам! С процентами! Я обещаю!

Председатель открыл ворота и усмехнулся:

— Откуда?

И пошел назад к «мерседесу».

Но Алена, рыдая, не отставала:

— Я вас прошу... Я отдам...

Он сел за руль и сказал насмешливо:

— Ты уже отдала — все, что могла.

Завел машину, и они уехали. Просто уехали, и все.

Алена с коленей села на землю и, рыдая, закричала им вслед:

— Сволочи!.. Сволочи...

Но Красавчик даже не оглянулся.

Алена подняла голову к небу:

— Боже! Помоги мне!..

# 161

Конечно, она поехала к брату. Стас сказал:

— Я думал над этим. Так не бывает, чтобы чеченцы прочитали тверскую газету и поехали в какие-то Долгие Крики искать, кого им украсть из твоей семьи. Тут работал наводчик.

— Но цыгане отпадают, — сказала Алена. — Этот Руслан, цыганенок, ее защищал, он с сотрясением мозга до сих пор в больнице.

— Ну, у тебя и без цыган «друзей» много. Ты губернатору избирательную кампанию сорвала? Сорвала, он коммунисту проиграл. У всех наших девок корону «Мисс Тверь» отняла? Отняла. И нашим браткам из бригады Серого твой Андрей на хвост наступал.

— Я тебе сестра?

— Сестра.

— И Настя тебе сестра, она тоже Бочкарева.

— Ну, это как посмотреть. Твоя мать ее Бочкаревой записала, а наш отец в то время уже три года как сидел.

— Она к нему в лагерь ездила.

— Врешь.

— Вру. Не важно. Это моя сестра. Я за ради нее не только совру. И за тебя, кстати, тоже.

— Ладно, — сказал Стас. — Сколько они хотят?

— Пятьсот штук.

— Значит, возьмут половину. Ну, считай, полсотни я тебе дам, по-братски. Ты можешь двести достать?

— Нет. Откуда?

— Но ты все-таки замужем была в Монако. И вообще, у тебя такая крыша...

— Это все кончилось, Стас! — сказала Алена с мукой. — Они все сволочи, все!

— Ну, не знаю, сеструха... — Он развел руками. — Полсотни я могу. А выше — извини. Выше крыши не прыгнешь. Отец ведь тоже на моем иждивении. Он, кстати, знаешь что отчудил? Ты его видела?

— Нет. Что он отчудил?

— В жизни не угадаешь! На малолетке женился! Ну, не женился еще, но живет с ней открыто...

Алена оторопела:

— Как это? Ты что?

— А так. Ему пятьдесят четыре, а ей шестнадцать. Из Хорёнок девка, младше тебя. Но знаешь, как его держит? — Стас сжал свой пудовый кулак. — Вот так! Он уже не колется, не курит, даже пиво не пьет. Шелковый! И в чем у вас такая сила?

## 162

Раньше ни Алена, ни мать никакие новости по телику не смотрели, поскольку в деревне все, кроме Марксена и Жукова, «в гробу видели эту политику». Но теперь они с утра до ночи переключали телевизор с канала на канал в поисках новостей из Чечни. Хотя хроника чеченской войны была угнетающей — на экране то и дело показывали разбитый бомбежками Грозный, руины домов в Шали, Урус-Мартане и в других деревнях, очень похожих на Долгие Крики. Мать, сцепив руки, напряженно вглядывалась в экран, словно там, за этими танками, ранеными солдатами и разрушенными домами, могла углядеть свою Настю.

Алена, конечно, знала, что Настю не покажут, но вместе с матерью и Жуковым слушала фронтовые сводки и генералов в камуфляже, которые постоянно вещали об очередном наступлении федеральных войск и обещали, что скоро все боевики будут истреблены. Но день шел за днем, боевиков запирали и уничтожали то в одном ущелье, то в другом, а они каким-то образом снова плодились, нападали на наших солдат, взрывали все, что хотели, и похищали офицеров и даже генералов.

Мать от этих сводок посерела лицом, похудела и стала хромать еще больше. А Жуков только шумно вздыхал и выходил из избы покурить. Поскольку Насти, главной поставщицы информации, не было, Алена лишь обиняками выведала у матери, что произошло тут в ее отсутствие. Когда отец поселился в Хорёнках, Роману тут же была дана отставка, мать, по-видимому, надеялась, что отец к ней вернется. А он «вон чего отчебучил, козел диссидентский, — с малолеткой живет! Это ж позор на всю область!».

А Жуков... Ну, с тех пор как Настю украли, Жуков взял опеку над матерью и Артемом, являлся сюда каждый день — колол дрова, воду таскал из колодца, да мало ли по дому мужской работы...

И еще одну новость изложила Алене мать, но почему-то шепотом. Про Марксена... «Даже не знаю, как тебе сказать, дочка. С месяц назад к нему друг приехал, из Америки. Оказывается, у них когда-то любовь была, понимаешь? А потом Марксена из Москвы выслали, а тот за границу сбежал, в Сан-Франциско. И они, считай, восемнадцать лет не виделись. Так ты представляешь: тот-то через столько лет нашего Марксена нашел, прилетел за ним и увез к себе в Сан-Франциско! Представляешь! И ты б видела, как они тут по деревне в обнимку ходили! Как голуби! Вот это любовь! А твой отец? Как исчез, так и все. А теперь вообще стыдобища! Лучше бы он в зоне пропал!..»

От всех этих сплетен, новостей, деревенских драм и безрадостных сводок с чеченского фронта Алену однажды отвлек топот конских копыт и оголтелый крик:

— Алена! Алена!

Алена выглянула в окно.

Почтарь Виктор во весь опор скакал по деревне.

Алена выскочила на крыльцо, с крыльца — к калитке.

Виктор, доскакав до калитки, с трудом остановил коня.

— Алена, письмо из Чечни!

Алена поспешно вскрыла конверт. В конверте лежал сложенный вчетверо лист бумаги с наклеенными на него буквами из разнокалиберных газетных заголовков:

ПРИНЦЕСА! ПРИГОТОВИЛА ДЕНЬГИ?
ДАЙ ОБЯВЛЕНИЕ В ГАЗЕТУ «ЗНАМЯ ТРУДА»,
ЧТО ПРОДАЕШЬ РАДИОЛУ «РИГА» 1956 ГОДА,
И НАПИШИ ТАМ НОМЕР СВОЕГО МОБИЛНОГО
ТЕЛЕФОНА. ЖДИ ЗВОНКА

* * *

Держа конверт, Алена почувствовала, что там есть еще что-то, и достала маленькую фотографию, сделанную «Полароидом». Глянув на нее, охнула и в ужасе прислонилась к ограде, закрыла глаза.

— Чего там? — спросил Виктор и взял у нее фотографию.

На фотографии была Настя — избитая, с синяками на лице и на руках. Под фотографией было написано чернилами:

*АЛЕНА, УМОЛЯЮ — СПАСИ МЕНЯ. НАСТЯ*

— Ну, звери!.. — сказал Виктор.

Алена без слез, тихо осела на землю.

## 163

Конечно, она сделала все, как они велели: купила в Твери мобильный телефон фирмы «Билайн» и дала объявление в «Знамя труда». А когда вернулась из Твери домой, увидела, что у ворот стоит «ауди». Соседка, проходившая мимо с ведром, шепнула ей на ходу:

— ФСБ...

Алена толкнула калитку и вбежала в дом.

В доме, на кухне сидел молодой мужчина — высокий, холеный и симпатичный. Стол перед ним был застелен скатертью, на столе варенье, баранки и домашнее печенье — как для почетного гостя. Мужчина пил чай, а мать Алены, держа на руках Артемку, повернулась к двери, к Алене.

— А вот и она...

Мужчина спросил:

— Вы Алена Бочкарева?

— Да...

— Здравствуйте, я из областного ФСБ. Капитан Чуйков Николай Сергеевич. Мы знаем о вашем горе и хотим вам помочь.

— Спасибо, — сухо сказала Алена. — Я уже обращалась в милицию.

Чуйков пренебрежительно усмехнулся:

— Ну, вы, наверно, заметили, какие у них возможности. А мы работаем на федеральном уровне. У нас в Чечне есть контактеры, информаторы, мы ведем дела совершенно независимо от МВД и добиваемся неплохих результатов. Правда, мы никогда их не афишируем. Но с такими ситуациями мы уже справлялись. Хотя должен вам сразу сказать, что какие-то деньги действительно понадобятся.

— У меня нет таких денег, какие они просят.

— А такие и не нужны. Если с похитителями работать правильно, то половину всегда можно сбить. А двести пятьдесят тысяч для такой женщины, как вы, — это, я думаю, не проблема. Слетайте к мужу в Монако или к своей двоюродной бабушке на Лазурный берег — вот и все. С визой мы вам поможем. Причем должен сказать, что отдавать похитителям все двести пятьдесят тысяч вовсе не обязательно. Деньги нужны главным образом как приманка. Если мы показываем контактеру живую наличность, он заверяет чеченцев, что деньги есть, те выходят на связь, а дальше — дело нашей дипломатии, понимаете?

— Конечно, она слетает! — суетливо вмешалась мать. — Ты ведь слетаешь, Аленка, да?

В ее голосе было столько мольбы, что Алена принужденно кивнула.

— Только я вас, Алена, попрошу четко определиться, — сказал Чуйков. — Если вы хотите сотрудничать с милицией — пожалуйста, это ваше право, тогда мы устраняемся. А если с нами, то только с нами, и никаких параллельных акций. Это очень опасно для вашей сестры, понимаете?

Мать снова опередила Алену:

— Конечно, с вами, о чем разговор! Такой уровень! Видишь, Алена! Все-таки есть, оказывается, власть в нашей стране!

Чуйков встал и подал Алене свою визитную карточку.

— В таком случае при любом выходе на вас похитителей вы должны ставить нас в известность. И пожалуйста, больше никого в это не вовлекайте. Если хотите, чтобы ваша сестра осталась жива и вернулась. Договорились?

Алена молча подала ему последнее письмо из Чечни с фотографией Насти.

Чуйков внимательно рассмотрел фото, потом прочел письмо и спросил:

— Вы приобрели телефон?

— Да.

— С роумингом?

— Да.

— Можно мне посмотреть?

Алена дала ему свой новый мобильный телефон.

Чуйков отделил от него батарею и переписал в блокнот его идентификационный номер.

— С вашего позволения, мы поставим вас на прослушку. Это позволит определить местонахождение похитителей. Какой у вас номер телефона?

— Московский. 774-32-17.

Записав этот номер и возвращая Алене телефон, письмо и фотокарточку, Чуйков сказал:

— Спасибо. А насчет этой фотографии... Знаете, конечно, вам на это тяжело смотреть, я понимаю. Но с другой стороны, это подтверждает, что девочка еще жива. Так что действуйте, торопитесь... — Он повернулся к матери Алены: — Спасибо за чай. — И опять к Алене: — Я буду ждать вашего звонка. Только, пожалуйста: в Твери полно кавказцев, и они, конечно, следят, кто приходит к нам в ФСБ. А вам сейчас совсем ни к чему демонстрировать, что мы с вами знакомы. Понимаете? Звоните. Всего хорошего.

Он вышел, мать посмотрела в окно, как он сел в «ауди» и уехал. И сказала:

— Какой мужчина! Вот, Алена, кто тебе нужен!

## 164

Самолет снизился над морем и пошел вдоль Лазурного берега к аэродрому. Даже сквозь иллюминаторы было видно, что тут, как в раю, никогда ничего не меняется — все те же курортники на солнечных пляжах, все те же яхты скользят по бликующей золотом воде, и все те же карнавальные гирлянды тянутся вдоль и поперек Променад-дез-Англе.

Маргарита встретила Алену в аэропорту, обняла и расцеловала. Она опять выглядела прекрасно — худая, загорелая, стильная, с новой прической, игривой походкой и живым блеском в глазах. Мужчины в аэропорту оглядывались на них, и трудно было сказать, на кого больше — на Алену или на Маргариту.

Ведя машину через Ниццу в Вильфранш, Маргарита спросила как бы невзначай:

— Ты надолго?

— На день.

— Что? На день? — Маргарите показалось, что она ослышалась.

— Рита, мне нужны деньги.

— Пожалуйста. Сколько?

— Двести тысяч.

Маргарита в изумлении открыла рот и повернулась к Алене.

— Долларов, — сказала Алена. — И смотри на дорогу, а то разобьемся.

— Ты с ума сошла! — Маргарита картинно всплеснула руками. — Откуда у меня? Ты что!

— Настю похитили чеченцы...

— Боже, как романтично! Знаешь, меня ведь тоже когда-то похитили. Правда, не чеченец, а кореец. Но как видишь, это неплохо кончилось. Сколько ей лет?

— Ты не понимаешь! Там идет война! Ее могут убить...

— Аленушка, у меня нет таких денег.

— Я знаю. Мы займем у банка. Под твою виллу.

Маргарита враз посерьезнела.

— Никогда!

— Рита, это единственный выход.

— Нет!

— Да, Рита, — жестко сказала Алена. — У меня нет выхода. Это моя сестра, ее там могут убить в любую минуту. Если б ты видела, что там творится!

— Но при чем тут я? Я не хочу...

— Тетя, ты кое-что забыла. Эта вилла спасена за мои тугрики, и я ее совладелица. А теперь мне нужны эти деньги.

Маргарита скисла, заканючила:

— Алена, ты меня убиваешь! Я только-только к жизни вернулась...

Но Алена не отвечала.

Машина въехала во двор виллы «Марго», и Алена все поняла: во дворе, у бассейна, развалившись в шезлонге, загорал полуголый Карлос, бывший любовник Маргариты.

Лениво открыв глаза, он сказал Алене:

— Бонжур, ми алма![1]

Алена не сочла нужным ему ответить — все равно через несколько минут или дней он с этой виллы опять исчезнет, Маргарите придется ужаться в расходах.

Взяв все документы на виллу, они отправились в банк. Хотя за прошедший год стоимость вилл на Лазурном берегу выросла в полтора раза, управляющий дал им кредит только на сумму ее бывшей стоимости — миллион франков.

— Здесь вы расписываетесь о сроках кредита, — показал он на крестики в нижних строчках контракта, — первые шесть месяцев — под шестнадцать процентов, вторые — восемнадцать.

---

[1] Здравствуй, душа моя!

Если через год кредит не будет выплачен, вилла отойдет к банку без всяких отсрочек...

— Ужас! — по-русски сказала Маргарита Алене. — Это самоубийство!

— Подписывай! — жестко приказала Алена.

Маргарита принужденно подписала и снова сказала по-русски:

— Ты меня режешь без ножа!

Управляющий проверил все подписи.

— Замечательно! — сказал он. — Вот чек на миллион франков.

— Нет, мсье, — сказала Алена, — нам нужно наличными.

Он удивился:

— Всю сумму?

— И в долларах, — подтвердила Алена.

Маргарита, стоя у кассы и следя, как Алена складывает в сумку двадцать банковских пачек стодолларовых купюр, обиженно поджала губы. А по дороге в аэропорт не проронила ни слова, только у самого аэровокзала спросила:

— Не понимаю, как ты собираешься их провезти?

— Не беспокойся...

Впрочем, в Ницце принятые Аленой меры предосторожности оказались излишними — при посадке в самолет никто не заглянул в ее сумку. Зато в Москве, в Шереметьево, когда Алена — несколько располневшая и в плаще — пошла в цепочке пассажиров через зеленый таможенный коридор, таможенник ее остановил:

— Минутку! Вашу декларацию. Покажите сумочку.

Алена открыла свою сумочку.

— А вещи? — спросил таможенник.

— Я с курорта, без вещей.

— Девушка, а что вы так волнуетесь?

— Я? Я не волнуюсь. Просто мне тут душно. Вы же видите, я в положении.

— Понял, девушка. Проходите.

Алена улыбнулась:

— Спасибо. За «девушку».

И, выйдя из аэровокзала, огляделась по сторонам.

Чуйков, стоя чуть поодаль, махал ей рукой от своей «ауди».

В машине, по дороге в Москву, Алена, сидя на заднем сиденье, повозилась руками под плащом и под кофтой, расстегнула и извлекла корсет с нашитыми на нем карманами. В этих карманах были банковские пачки стодолларовых купюр, Алена стала перекладывать их в обыкновенную пластиковую сумку.

Чуйков, ведя машину и поглядывая на Алену в зеркальце заднего обзора, усмехнулся:

— Это вы зря прятали. У нас ограничения на вывоз валюты. А ввозить можно сколько угодно, это легально.

— Ничего, — отозвалась она, — так надежней.

— Сколько вы привезли?

— Двести тысяч.

— Где думаете хранить? Дома опасно...

— У меня есть где хранить.

— Вы уверены? А то можно у нас.

— Нет, спасибо.

Чуйков пожал плечами.

— Мне никто не звонил, — сообщила Алена. — Уже седьмой день...

И именно в этот момент послышался телефонный звонок, Алена даже вздрогнула.

— Ну вот видите! — сказал Чуйков. — А говорят, что нет телепатии.

Алена спешно полезла в сумочку, извлекла звенящий мобильный телефон.

— Алло! Я слушаю!

Мужской голос с кавказским акцентом сказал:

— Ну что, прынцеса? Дэньги нашла?

Чуйков поспешно вмешался:

— Ничего не говорите! Требуйте сестру.

— Я хочу услышать сестру, — сказала Алена в трубку.

— Дэньги есть или нет? — настаивал голос с акцентом. — Атвечай!

— Ничего не скажу! Сначала дайте сестру услышать.

— Зараза! Ладно, на, слушай!

И почти тотчас трубка заверещала голосом Насти:

— Алена! Это я!..

— Настя! — закричала Алена. — Ты жива? Что они с тобой сделали?

— Алена, спаси меня! Забери меня отсю...

Голос Насти осекся, вместо него в трубке снова раздался мужской голос с кавказским акцентом:

— Ну, слышала? Ми с ней еще ничего не сдэлали. Пака. Панимаш?

— Да... — убито сказала Алена.

— Про деньги ни слова! — снова вмешался Чуйков. — Требуйте живой контакт!

— Ну! — сказал голос в трубке. — Есть деньги?

— Я не могу по телефону. Нужен живой контакт.

— Уже тебя научили, да? Харашо. Пайди на рынок, найди двух-трех чечен, пусть скажут тебе свои фамилии и откуда они. А мы тут их праверим. Если хароший люди, адин из них будит твой кантакт. Все, завтра пазваню. — И трубка загудела короткими гудками отбоя.

## 165

После убийства Андрея война за русификацию рынков прекратилась. Даже в Твери, древней, еще до рождения Москвы, сопернице Киева и столице княжеской Руси, фруктами, овощами, мясом и рыбой торгуют одни кавказцы.

Алена и Стас шли вдоль фруктового ряда, подходя поочередно к каждому продавцу.

— Ты чечен?

— Нет.

— А кто?

— Азербайджанец. А что?

Стас переходил к следующему:

— Ты чечен?

— Нет. Зачем обижаешь?

— А кто тут чечен? — вспылил Стас. — Когда не надо, все чечены! А когда надо...

— Там спроси, — сказал продавец, — в мясном ряду.

Алена и Стас пошли в глубину рынка. В мясном ряду на прилавках лежало свежее мясо: разделанная говядина, телятина, баранина с костями и без костей. Над прилавками на крюках висели бараньи и говяжьи туши, окорока. За прилавками продавцы кавказской внешности точили ножи, свежевали и разделывали мясные туши.

Алена в ужасе смотрела на эти ножи...

Стас подошел к пожилому продавцу:

— Ты чечен?

— Чеченец, — поправил тот. — А что?

— Откуда?

— Из Автуры. А в чем дело?

Алена достала из сумочки блокнот и авторучку, Стас продолжил допрос:

— Как звать?

Продавец покосился на Аленин блокнот:

— А зачем тебе?

— Не бойся. Нам нужен посредник.

Но оказалось, что похитителям еще нужно было угодить, лишь бы кого они на роль посредника не утверждали. По ночам, сидя в ночной рубашке на печной завалинке в доме матери, Алена держала на коленях блокнот и говорила с Чечней по мобильному телефону.

— Я вам уже шесть имен дала!

— Эти нэ падходят, — отвечал мужской голос. — Ищи других.

— Почему не подходят? — со слезами в голосе кричала Алена. — Сколько можно?!

В соседней комнате просыпался и начинал реветь Артем. Мать, простоволосая, появлялась в двери с Артемкой на руках, смотрела умоляюще, и Алена просила в трубку:

— Дайте сестру к телефону! С мамой поговорить!

— Заткнисс! — обрывал ее голос. — Имей в виду: завтра паследний дэнь даю. Не найдеш чэловека, с сестрой нехароший вешш может случиться. Все! — И в трубке зазвучали гудки отбоя.

Алена и мать посмотрели друг другу в глаза.

— Издеваются, сволочи! — сказала мать. — Вот дожились! Уже чечены над нами издеваются! Звони Чуйкову.

Алена засомневалась:

— Ночью?

— Звони.

Чуйков, надо сказать, приехал буквально наутро. И не один — вместе с ним из «ауди» вышел какой-то пожилой чеченец.

— Вот, знакомьтесь, — сказал Чуйков. — Усман Салимов из Курчалоя. Отец пятерых детей. Думаю, он устроит и вас, и тех, кто держит Настю.

Алена и мать, стоя на крыльце, молча смотрели на Усмана.

— Вы мать? — сказал Усман матери Алены.

— Да...

— Я вас хорошо понимаю. У меня пять детей, я за каждого могу жизнь отдать. Воровать детей, делать из этого бизнес — это против Аллаха, эти люди не чеченцы. Пусть они меня проверят, пусть найдут мою семью в Курчалое — я им это все равно в лицо скажу. Воевать за Чечню можно, а детей воровать — нельзя.

— А если понадобится поехать в Чечню за сестрой, вы сможете поехать? — спросила Алена.

— Даром не поеду, — ответил Усман, — а за триста долларов поеду.

— Если привезете сестру, я вам больше дам.

— Больше не надо, я на детях не зарабатываю. Я правоверный. Только дорогу мне оплатишь, и все.

Алена еще раз осмотрела этого Усмана и решила, что ему можно доверять. Через два дня оказалось, что его кандидатура устроила и похитителей.

— Молодец! — похвалили Алену из Чечни. — Правильный человек нашла!

Алена со Стасом отправились в Хорёнки.

— Ты уверена в этом чечене? — спросил по дороге Стас.

— Его Чуйков привез, ФСБ. И в Чечне приняли.

Джип Стаса подъехал к дому бабы Феклы, где теперь жил отец. Стас нажал на гудок — один раз... второй... третий...

Но никто не выходил из дома.

Алена и Стас переглянулись, открыли калитку, прошли через двор, постучали в дверь. Никто не отозвался. Стас толкнул дверь, она оказалась незапертой. Встревожившись, они вошли в дом и в изумлении замерли на месте.

Горница бабкиного дома была переоборудована в любительскую радиостанцию: вдоль стены на козлах были настелены свежеструганые доски, на них стояли допотопный ламповый радиопередатчик, несколько старых пленочных магнитофонов с бобинами, патефон с пластинками, еще какое-то оборудование. Такой же, на козлах, стеллаж вдоль соседней стены занимали подшивки газет «Знамя труда», «Аргументы и факты», «Известия», «МК», «Коммерсантъ» и прочих.

А перед радиопередатчиком сидел Петр Бочкарев с наушниками на голове и вещал в микрофон:

— Внимание! Говорит радиостанция «Народная волна». У микрофона Петр Бочкарев. Завершаю анализ антинародной прессы...

Увидев Алену и Стаса, он замахал на них руками и продолжил в микрофон:

— Совершенно ясно, что, несмотря на видимую свободу слова, никакой настоящей свободы у нас нет. Все газеты прославляют антинародный курс правительства, в то время как учителя голодают, шахтеры бастуют, детская смертность растет, а чечены похищают наших детей. Я призываю всех мыслящих людей России объединиться, пока не поздно, в новое правозащитное движение «Колокол»!

— Тьфу ты! — сказал Стас в сердцах. — Опять за свое! Лучше бы ты кололся, отец!

Бочкарев недовольно выключил микрофон и завел патефон. Пластинка закрутилась под иглой, и в воздухе прозвучало: «Вставай, страна огромная! Вставай на смертный бой...»

— А где твоя малолетка? — спросила Алена отца. — Я ее тот раз не застала, и опять... Прячешь, что ли?

— Ну, в школе она, — нехотя сказал отец.

— Как в школе? Она что, школьница еще?

— Ну... — подтвердил отец. — Одиннадцатый класс заканчивает.

— Во дает! — Стас крутанул головой.

— Папа, ты вообще соображаешь? — возмутилась Алена. — Тебя опять посадят!

— Почему? Ей уже семнадцать лет... ну, будет через месяц.

— Нет, это ж подумать! Она младше меня!..

— Дети! — перебил Бочкарев. — Это вы подумайте! Я пятнадцать лет отсидел! Без женщин. Имею право пожить. Как Мандела!

Телефонный звонок прервал эту беседу отцов и детей. Алена поспешно зарылась в своей сумке, достала мобильный.

— Алло! Да, это я. Посылка? Какая посылка? Откуда? Хорошо, уже еду! — Алена дала отбой и сказала Стасу: — Это Виктор с почты. Мне из Чечни посылка.

Оставив Стаса с отцом, Алена выскочила из дома, пробежала в сарай и, подняв крышку в полу, спустилась в погреб.

Там снова были изменения — на полках вместо оружейного арсенала Стаса лежали высоченные стопки старых газет и правозащитной литературы. Алена раздвинула эти стопки, толкнула «живой» кирпич в стене, по локоть сунула руку в открывшуюся дыру и извлекла пластиковую сумку — ту самую, в которую по дороге из Шереметьева сложила двести тысяч долларов. Теперь она достала из этой сумки десять пачек, завернула в несколько старых газет и сунула обратно в тайник. Поставила кирпич на место, а с сумкой, в которой осталось сто тысяч долларов, полезла по лесенке вверх.

## 166

Посылка оказалась пакетом, завернутым в грубую бумагу и перевязанным грязной бечевкой.

— Вот, — сказал Виктор. — На крыльце у почты лежало. Я утром стал почту открывать, вижу — лежит. То есть это не по почте пришло, а подбросили.

Алена выхватила пакет, попыталась порвать бечевку.

— Осторожно! — сказал Виктор. — А вдруг там взрывчатка...

— Да ладно! — отмахнулась Алена и повернулась к Стасу: — Нож есть?

— От них всего можно ожидать, — заметил Виктор.

— Дай сюда. — Стас забрал у Алены бандероль, достал финский нож на пружине и вспорол пакет. Из пакета выпали видеокассета и крохотный сверток. Стас передал кассету Алене и спросил у Виктора: — У тебя видик есть?

— Есть, но старый, «Самсунг».

— Сойдет. — Стас развернул сверток. В свертке лежал обрубок мизинца — две фаланги с ногтем.

Алена обмерла:

— Боже! Это Настин палец!..

— Ну, курвы! — выругался Стас.

В задней комнате сельской почты, где жил теперь Виктор, видеокассета нырнула в щель видеомагнитофона, Виктор нажал кнопку «Play». На экране телевизора возник какой-то полутемный подвал и Настя в лохмотьях — избитая, с синяками на лице и на шее. Мужчина в камуфляже и с маской на лице завязал Насте глаза темной повязкой, усадил ее на стул, а ее левую руку положил на стол и прижал все пальцы, кроме мизинца. Второй мужчина в маске и камуфляже поднял секач, примерился и... одним ударом отсек мизинец.

Алена, глядя на экран, вскрикнула и, кусая кулаки, спрятала лицо на груди у Стаса.

— Звери... — сказал Стас, гладя ее по голове. — Ну, тихо, сестренка, тихо. Мы их достанем.

Алена лихорадочно достала из сумки свой мобильный телефон, набрала номер.

— Алло! ФСБ? Мне Чуйкова. Николай? Приезжайте за деньгами. Нет, не половину! Всё возьмите! Все двести пятьдесят! Только пусть отдадут ее! Сразу! — И, дав отбой, повернулась к Стасу: — Давай обратно к отцу. И — твой полтинник. Быстрей!

— Алена, это риск... — предупредил он.

— Ты что, не видел?! — сорвалась она в истерику. — Не видел?! Они ее режут!!!

Через час в Долгих Криках, сидя в машине Чуйкова, Алена из сумки выкладывала на заднее сиденье пачки стодолларовых купюр.

— Двадцать один... двадцать два... двадцать три... двадцать четыре... двадцать пять. Всё. Это всё, что есть. И вам еще триста...

— Нет, сейчас не нужно, — сказал Усман, складывая деньги в свой чемоданчик. — Когда привезу девочку, тогда отдашь. Я тебе доверяю.

— Вот, — сказала Алена Чуйкову, сидевшему впереди за рулем. — Я при вас отдала двести пятьдесят тысяч. Под вашу ответственность.

— Конечно, — сказал Чуйков.

— Не бойся, дочка, — тронул ее за плечо Усман. — Не все чеченцы звери. Есть и хорошие люди. Клянусь Аллахом, мы привезем твою сестру. Два дня до Чечни, два дня там, через неделю она тут будет.

Мать Алены принесла большую тяжелую сумку, подала Усману.

— Тут одежда для Насти.

— Спасибо, — сказал Усман. — Я передам.

— Все, — сказал Чуйков. — Мы поехали. Нам до Чечни тысячу восемьсот километров пилить!

Алена вышла из машины:

— В добрый путь.

Чуйков отдал ей честь и тронул машину, «ауди» выехала из двора. Мать Алены перекрестила машину вслед.

## 167

Артемка, сидя на полу, играл игрушечным танком, круша деревянные кубики и рыча, как танковый двигатель:

— Р-р-р-р-р-р... Бах по Грозному! Бах его! Ба-бах!..

Над ним, на экране телевизора, но без звука, шла очередная победная хроника чеченской войны: ракетные залпы по боевикам, атакующие танки, генералы в камуфляже у карты с планом завершающего сражения.

Мать Алены, сидя перед телевизором, нервно вязала, поджав губы.

Алена, стоя у кухонного стола, в сердцах колола орехи трубкой мобильного телефона.

— Не молчи! Не молчи! — в тихой истерике твердила она этой проклятой трубке. — Звони! Звони!

— Ты ее разобьешь, — заметила мать.

— Сегодня десятый день! — сказала Алена.

— Позвони в ФСБ.

— Там не отвечают!

— Звони еще раз.

Но телефон вдруг сам зазвонил.

Алена от неожиданности выпустила его из рук, трубка упала на пол, Алена подхватила ее, включила.

— Алло! Алло! Что?! Какая вторая посылка? Я вам деньги отправила! Как «с кем»? С Усманом! Что значит «никакого Усмана»? Он десять дней как уехал! Вы мне голову не морочьте! Где моя сестра? Дайте сестру к телефону! Настя! Ты жива? Что? —

И, выронив трубку, Алена стала в истерике биться головой о стену.

Мать бросилась к ней, схватила за плечи:

— Перестань! Что? Что там?

— Мама... — тихо сказала Алена. — Они ей второй палец отрезали...

— А деньги? Где наши деньги?

— Нас кинули, мама, — мертвым голосом сказала Алена.

После отъезда Марксена их сельская церковь оказалась никому не нужна. Алена с матерью поставили зажженную свечку перед забитой досками дверью, стали на колени и принялись молиться, шепча:

— Пресвятая Дева Мария! Спаси нас и помилуй, помоги нам...

Глядя на них, Артемка, стоявший рядом с матерью, тоже опустился на коленки и стал повторять слова молитвы.

## 168

Пройдя по отремонтированному коридору РУБОПа, Алена свернула к комнате Дугина. Здесь, как и в коридоре, произошли изменения: на столе у Дугина появился компьютер, рядом с его столом возникли еще два допотопных письменных стола, за ними сидели два новых сотрудника. Правда, вторая половина комнаты была еще пуста, и вообще состояние необжитости не исчезло: на окнах по-прежнему не было никаких занавесок и на стенах — ничего, кроме карты с флажками.

Алена подошла к столу Дугина и положила перед ним исписанный лист бумаги.

Дугин поднял на нее глаза:

— Что это?

— Заявление министру. Как вы сказали.

Дугин взял заявление, прочел и снова посмотрел на Алену. Она явно изменилась с тех пор, как он ее видел, — похудела, почернела лицом, а в глазах появилась та остервенелость крайнего отчаяния, которая свойственна всем родителям заложников, мотающимся по инстанциям в поисках помощи.

— Двести пятьдесят тысяч? — сказал Дугин.

— Да, — сухо ответила Алена.

Дугин сокрушенно покачал головой:

— А вы сообщили в ФСБ?

— Нет.

Дугин повернулся к своим сотрудникам:

— Слыхали, ребята? Это уже третий случай. Наши российские аферисты работают заодно с чеченскими.

Алена молча положила перед ним видеокассету и сверток. Сверток сама же и развернула, в нем были мизинец и безымянный палец Насти.

— Вы можете передать это вашему министру?

Дугин посмотрел на нее, ответил после паузы:

— Садитесь, девушка. Будем работать. С какого телефона вы общались с похитителями?

Алена положила перед ним свой мобильный телефон.

— Номер? — сказал Дугин.

— 095-774-32-17.

Дугин повернулся к компьютеру, вызвал на экран какой-то файл и в окошко команды «найти» впечатал номер 095-774-32-17. Компьютер негромко затрещал, включаясь на поиск.

— Мы тут одного немца вытаскивали, — сказал Алене Дугин. — Его жене даже в Мюнхен звонили из Чечни, тоже по мобильному. Пришлось с «Билайном» наладить отношения...

На экране компьютера появилась надпись:

ИНФОРМАЦИЯ НЕДОСТУПНА.
ВАШ КОМПЬЮТЕР ПРОВОДИТ НЕЛЕГАЛЬНУЮ
ОПЕРАЦИЮ И БУДЕТ ОТКЛЮЧЕН
ЧЕРЕЗ ТРИДЦАТЬ СЕКУНД

Дугин взял Аленин мобильный телефон, набрал какой-то номер.

— Алло! — сказал он в трубку. — «Билайн»? Валентина Андреевна, это капитан Дугин лезет в вашу систему. Здравствуйте. Откройте мне по электронной почте реестр на 774-32-17. Да, я с него говорю. Спасибо.

Надпись на экране тут же исчезла, вместо нее появился столбик цифр с кодом Чечни и телефонными номерами.

Дугин пояснил Алене:

— Вот с этих номеров вам звонили. Это из Шали... Это из Аргуна... Из Гудермеса... Это Нижние Атаги, это Верхние Атаги... Судя по датам, девочку каждые две недели перевозят из одного места в другое. Но чаще всего повторяется вот этот телефон. Сейчас мы им позвоним. — Он набрал номер на своем служебном телефоне, подождал и сказал: — Алло! Это майор Дугин из Москвы, из РУБОПа. Пожалуйста, слушайте меня внимательно. У вас находится заложница Настя Бочкарева из Тверской губернии. Нету? Ничего, если хорошо поищете, найдете. Слушайте дальше. У меня есть разрешение министра обменять похищенных детей на ваших пленных...

Алена изумленно посмотрела на Дугина.

Он извлек из ящика толстую серую папку, открыл, достал из нее какие-то списки и продолжал в телефон:

— Значит, из вашего района у нас сидят по тюрьмам... Да, три ваших полевых командира из Аргуна сидят: Рамис Хайрулин, Магомет Хуцилаев и Руслан Губаев. За кого из них отдадите девочку? Нет, не за трех! Только за одного! Как хочешь, даю тебе время до завтра. Только имей в виду: если у девочки еще хоть один волос упадет с головы, я лично все волосы отрежу этим командирам в другом месте. Вместе еще кое с чем. Ты меня хорошо понял? Нет, ты сам мне позвонишь. Запиши мой телефон: 204-89-30. Все, конец связи. — Дугин дал отбой и поднял глаза на Алену: — Вы слышали. Они позвонят. Приходите завтра.

Но Алена, наоборот, села на стул, сказала:

— Спасибо. Теперь я отсюда уже никуда не уйду.

Дугин усмехнулся:

— Знаете, у нас есть другие дела...

— А у меня нет, — сказала Алена.

## 169

— Заключенный Магомет Хуцилаев — на выход!

Двое заключенных, сидевших в камере строгого режима, заученно стали лицом к стене, руки подняли за спиной на уровень лопаток — так, что их головы уперлись в стену. Затем, согнувшись и двигаясь спиной к выходу, Хуцилаев подошел к двери, охранник надел ему наручники, грубо выдернул из камеры и подтолкнул по тюремному коридору:

— Пошел!

— Куда меня?

— Иди, иди! Там узнаешь...

Тем временем майор Дугин подписал у тюремного начальства документы о приемке-сдаче заключенного и через несколько минут вместе с двумя своими сотрудниками-собровцами вывел Магомета Хуцилаева за ворота лагеря к милицейскому «уазику». В «уазике» их ждали Алена и местный начальник милиции с лицом ханты-мансийского божка. По протаивающей под теплым солнцем тундре хант довез их до Салехардского аэропорта. Здесь они вместе с Хуцилаевым пересели на алюминиевые, вдоль борта, сиденья военно-транспортного «Антона», и собровцы пристегнули наручники Хуцилаева к стенной переборке. Сделав разворот над Обью, самолет полетел на юг, в Москву. Через шесть часов под Москвой, на Чкаловском военном аэродроме — новая пересадка, в грузовой «Ил-62» с пополнением для чеченского фронта.

Вылетели ночью, на рассвете сели в Минеральных Водах, перегрузились на армейские грузовики с крытыми брезентом кузовами и в полдень прикатили в Моздок.

В Моздоке была обстановка прифронтового города: на улицах полевые кухни, грузовики в камуфляже, танки, санитарные «уазики», солдаты с автоматами, выздоравливающие раненые на костылях, армейские врачи и медсестры. На перекрестках местное население торговало семечками, фруктами и чебуреками.

Колонна грузовиков, обогнав какую-то группу женщин с плакатами, притормозила перед проходной в армейский штаб. Дугин, собровцы, Хуцилаев и Алена спрыгнули на землю, Дугин сказал Алене:

— К сожалению, дальше вас не пропустят. Здесь штаб.

— Ничего, я подожду.

— Тут рядом гостиница.

— Нет, я буду здесь...

Колонна грузовиков ушла на юг, к чеченской границе. Дугин предъявил свои документы в проходной и вместе с собровцами и Хуцилаевым исчез в здании штаба. Алена оглянулась на группу приближающихся женщин. Те несли самодельные плакаты:

ГДЕ МОЙ СЫН ЕГОРОВ ВИТАЛИЙ?

ИЩУ СЫНА, СЕРЖАНТА ОЛЕГА ГАВРИЛОВА
ИЗ ПЕНЗЫ, 1980 ГОДА РОЖДЕНИЯ

ГЕНЕРАЛЫ! ГОД НАЗАД ВЫ ВЗЯЛИ У МЕНЯ СЫНА
ПЛИЩУКА СЕРГЕЯ ПЕТРОВИЧА. ГДЕ ОН?

Женщин было немного — с десяток. Но когда они молчаливо, не говоря ни слова, стали перед окнами армейского штаба, там возникла беготня, суета и нервозность. Потом к женщинам выскочил какой-то капитан, сказал суетливо:

— Уходите! Сейчас начнется артобстрел!

— Мы никуда не уйдем!

— Я из управления по связям с общественностью. Вы понимаете, что я вам говорю?

— Мы будем говорить только с командующим!

Но тут грохотнуло так, что даже в штабе задрожали окна.

— Уходите! Не до вас! Завтра придете! — закричал капитан и убежал в штаб.

Женщины, однако, никуда не ушли, и Алена тоже. Где-то за городом ракетные установки палили в сторону Чечни с такой силой, что даже тут, над Моздоком, воздух раскалывался с сухим парусиновым хрустом. А потом в небе прозвучал низкий вибрирующий рокот тяжелых «черных акул», и земля стала вздрагивать от дальних бомбовых взрывов...

В штабе майор Дугин, пальцем затыкая одно ухо, прижимал ко второму телефонную трубку и кричал:

— Что? Громче! Не слышу! Вас бомбят? Девочку прячьте! Девочку от бомбежки прячьте, Настю Бочкареву! Что? Да, Хуцилаев здесь, со мной! Где будет встреча? В Каурском ущелье? Нет, это на вашей территории, так не пойдет. Только в нейтралке, в зоне отчуждения! Ищерская долина? Хорошо, завтра в семь утра. Нет, в семь утра, и не позже! Нас будет пятеро, и вас только пятеро!

# 170

Ночью милицейский микроавтобус — без фар, при свете луны — медленно пробирался по горной дороге. В микроавтобусе Дугин сидел за рулем, рядом сидела Алена, два собровца с автоматами были сзади, стерегли Хуцилаева.

Вдали были видны сполохи взрывов, слышалась канонада. Но здесь, в предгорьях, было тихо или казалось, что тихо. Дугин, похоже, был тут не впервой — он вел машину не спеша, но уверенно и где-то за полночь добрался до места, которое искал, — небольшой пещеры над обрывом, с которого открывался вид на долину.

Хуцилаева, скованного наручниками, положили в глубине пещеры, ближе ко входу расположились Дугин, Алена и один из собровцев, второй занял место дозорного возле спрятанного за валуном микроавтобуса.

Коротая время до рассвета, курили в кулак и негромко разговаривали.

— У тебя нет детей? Напрасно, — говорил Алене Дугин. — А я богатый — у меня трое. Старшей уже двенадцать, средней семь, а младшему три. Команда!..

— Блин! — с досадой сказала Алена.

Дугин встревожился:

— Что такое?

— Да ну! В кои веки встретила приличного мужика, так и тот занят! Твоя жена не боится тебя отпускать? Я имею в виду — не сюда, а вообще, по жизни...

Дугин усмехнулся:

— Знаешь, кто не рискует, тот не пьет шампанское. Я ей пятнадцать лет назад сказал: если выйдешь за меня, я к сорока годам буду генералом. Ей восемь лет терпеть осталось.

— А сколько ты получаешь?

— Две двести.

— Чего?

— Рублей, конечно.

— В месяц?! — изумилась Алена.

— Ну да...

— Как же вы живете?

— А вот так.

— Нет. Так не бывает.

— Бывает...

— Едут, товарищ майор, — сообщил дозорный.

Дугин выглянул из пещеры. Оказывается, уже светало — блекло, как перед рассветом.

— Вон их сколько! — Дозорный показал вниз, в долину, по которой катили джип, «Волга» и грузовик с вооруженными чеченцами.

— Ладно, выступаем, — сказал Дугин. — Хуцилаеву подъем.

Собровцы разбудили Хуцилаева, вывели его из пещеры к микроавтобусу. Алена хотела занять свое место на переднем сиденье, но Дугин приказал:

— Нет, теперь ты назад.

Хуцилаев и два собровца тоже сели на задние сиденья, один из собровцев, глядя в окно, заметил:

— Там стволов тридцать...

— Ничего, поехали. — Дугин вывел машину на дорогу и покатил вниз, навстречу чеченцам.

В долине, метрах в тридцати друг от друга, они остановились.

Дугин вышел из микроавтобуса, а в кузове грузовика двадцать чеченцев вскинули автоматы и взяли его на прицел. После этого из джипа вышли трое бородатых чеченцев в папахах, с автоматами на груди.

— Я же вам сказал: нас пятеро и вас пятеро, — проговорил Дугин.

— Плевал я на то, что ты сказал! — ответил один из бородачей. — Здесь наша земля! Как *мы* скажем, так и будет. Где Хуцилаев?

— Сначала девочку покажите.

— Нет, девочка есть девочка! — пренебрежительно сказал бородач. — На нашей земле мужчина всегда первый!

Дугин показал на боевиков в кузове грузовика.

— Пусть стволы уберут. Иначе не покажу.

Бородач что-то приказал боевикам, те опустили стволы «калашниковых».

Дугин откинул дверцу микроавтобуса, рывком выдернул из него Хуцилаева до половины его корпуса и тут же приставил пистолет к его голове.

— Вот Хуцилаев. Девочку покажите.

— Да, это Хуцилаев, — сказал бородач. — А где остальные?

— Какие остальные? — удивился Дугин.

— Мы тебе на твоем русском языке сказали: за девочку три командира — Хуцилаев, Хайрулин и Губаев.

И бородач крикнул что-то по-чеченски боевикам, те, стоя в кузове грузовика, снова вскинули автоматы на Дугина.

А бородач и два его соратника, улыбаясь, направились к Дугину.

— Бросай пистолет, дурной башка! Мы вас всех берем в заложники! — Бородач, приближаясь, заглянул в микроавтобус: — О, смотри, кого он привез! Еще одну бабу...

— Стоять! — перебил его Дугин. — На горы посмотри!

Бородачи и остальные чеченцы посмотрели по сторонам.

В лучах восходящего солнца все горы, окружающие долину, бликовали прицелами снайперских винтовок.

— Пять шагов назад, живо! — приказал Дугин бородачам.

Те, пятясь, отступили.

Дугин вытащил Хуцилаева из микроавтобуса.

— Девочку! — потребовал Дугин у чеченцев.

Бородач открыл дверцу «Волги», из машины почти выпала Настя — босая и в каких-то лохмотьях.

— Алена, это она? — негромко спросил Дугин.

— Настя! — закричала Алена, выглядывая из автобуса, и рванулась наружу, но двое собровцев схватили ее, удержали внутри.

А Настя встрепенулась:

— Алена! — И побежала к микроавтобусу.

Один из бородачей вскинул автомат, но Дугин быстро перевел на него свой пистолет:

— Не смей! Убью!

Рядом с ним тут же возникли два собровца, один из них уже держал пистолет у головы Хуцилаева.

Бородач опустил автомат.

Настя добежала до Алены, и Алена схватила ее, прижала к себе, втянула в микроавтобус.

Дугин кивком головы приказал собровцу отпустить Хуцилаева.

Хуцилаев — руки в наручниках — побежал к чеченцам.

— Эй! Ключ! — вдогонку ему крикнул Дугин.

Хуцилаев обернулся.

Дугин бросил ему ключ от наручников, ключ упал на землю между Хуцилаевым и Дугиным. Хуцилаев вернулся и нагнулся за ключом, словно поклонился Дугину. Потом схватил ключ и побежал к своим.

## 171

Дома, в Долгих Криках, по случаю освобождения Насти было, конечно, застолье — соседи, Жуков, Виктор-почтарь, Алена и Роман, который явился мириться с матерью Алены. Настя, сидя за столом, рассказывала:

— Они меня перевозили постоянно. Каждые десять дней — в новый пункт. Шали, Аргун, Гудермес, Нижние Атаги, Верхние Атаги... Селили в чеченских семьях, я там делала всякую домашнюю работу. Один раз, кстати, я там видела еще одну девочку-заложницу, Аллу Гейфман, из Саратова. Она показала мне свою руку, ей отрубили два пальца и отправили ее отцу. Но ко мне относились нормально. Один раз, правда, охранник стал приставать, я с ним целую ночь боролась. Но утром я пожаловалась хозяевам, и больше я его не видела. А били меня девчонки-чеченки, у которых я в семьях жила. Потому что они должны были все время быть со мной, за мной следить. А у них были свои дела. И оттого, что я для них была обузой, они меня били. Каждый день. А потом пришли эти в масках, отрубили мне мизинец. Потому, когда они второй раз пришли в масках, я сразу догадалась: сейчас мне отрубят и второй палец. Я стала плакать, просить: не надо, не надо!.. Один закричал: «Молчи! Или всю руку отрежем!» Потом мне надели повязку на глаза, сделали укол. Но я все равно все чувствовала — как резали палец, как хрустнула косточка...

— Все, все! — перебила Алена. — Я не могу это слушать! Я тебя здесь больше не оставлю. Ты поедешь со мной во Францию, к Маргарите.

Но тут, нежданный, явился Руслан — прямо из больницы. Роман радостно ринулся ему навстречу:

— Ой, Русланчик! Выздоровел!

В ответ вдруг Руслан молча ударил Романа кулаком в лицо.

— Ты что? За что? — опешил Роман.

А Руслан выхватил из-за пояса нож:

— Ты знаешь, за что! Я твой голос узнал! Это ты навел на нее чеченцев! Сколько ты на этом заработал? Говори, сука! Настя, покажи руку! Сколько они тебе пальцев отрезали?

Настя подняла руку без двух пальцев.

Руслан, сверкая белками глаз и размахивая ножом, закричал:

— Палец за палец! Я лично тебе отрежу! А потом вообще...

Алена вмешалась, прыгнула между ними:

— Нет! Хватит! Хватит этой резни! Вы тут все с ума посходили! Настя, собирайся! Ну их всех! Мы уезжаем!

Но Настя вдруг стала рядом с Русланом:

— Алена, я никуда не поеду. Я с ним остаюсь.

# Часть пятнадцатая

# Цена

# 172

Париж, аэропорт Шарля де Голля, аэробус компании «Эр Франс» заходит на посадку, подкатывает к гнутому рукаву аэровокзала. Хорошо одетые французы, сияющие воротничками своих белых рубашек и шелковыми галстуками, и француженки, пахнущие «Шанелью» и постукивающие тонкими каблучками модельных туфелек, ручейками тянутся к стойкам паспортного и таможенного контроля, толкая перед собой тележки с фирменными дорожными чемоданами. Среди этого потока резко выделяются пятеро коротко стриженных мужчин в тренировочных костюмах и кедах, с бычьими шеями и легкими спортивными сумками в руках. Французы сторонятся этих мужиков — то ли потому, что от них не пахнет благовонной туалетной водой, то ли потому, что из-под их рукавов и в вырезах их спортивных курток выглядывает густая татуировка.

Подойдя к паспортному контролю, они протягивают свои паспорта. Пограничник дотошно проверяет паспорт у первого, сличает его фото с лицом владельца, снова смотрит в паспорт. Но паспорт в порядке, и виза тоже.

— Проходите, мсье... — говорит пограничник по-французски, а таможенник спрашивает: — Где ваш багаж, мсье?

— Нет, — отвечает мсье по-русски.

— У вас только сумка?

— Нет, — звучит русский ответ.

— Откройте сумку, пожалуйста.

— Нет.

Таможенник, вздохнув, берет у него из рук сумку и открывает молнию, вынимает из сумки пакет, завернутый в русские газеты, и слегка отшатывается от запаха.

— Что это, мсье?

— Нет, — говорит мсье по-русски.

Таможенник разворачивает пакет, в нем четыре астраханские воблы. Он рассматривает рыбу, щупает, нюхает, заглядывает в сумку, но в сумке больше ничего нет.

— Мсье, что вы делаете с этой сухой рыбой?

— Вобла! — отвечает ему мсье.

Таможенник вздыхает:

— Следующий! А где ваш багаж, мсье?

— Нет.

— Тоже «нет»? Откройте сумку. Опять сухая рыба? Как вы сказали, мсье? «Во-блья»? Следующий! У вас тоже воблья? Франсуа, — повернулся таможенник к своему коллеге, — смотри, эти русские привезли воблья!

— Да не во-бля! — поправил его, проходя, последний русский. — А вобла! Учить нужно вас!..

## 173

Во время кинофестиваля Канны до краев наполнены всеобщим возбуждением, тщеславием, деньгами, легкими знакомствами и пылким сексом. Набережная Круазетт забита толпами восторженных поклонников кино, по красной дорожке лестницы Дворца фестивалей восходят к призам и славе самые-самые кинозвезды, фанаты кино ревут от восторга при виде своих кумиров, а слева от Дворца, на огражденной набережной стоят шатры-павильоны делегаций различных стран, и в этих шатрах идет бесконечный банкет и тусовка. То тут, то там — взрывы смеха, чоканье бокалами, разноязычная речь, блицы фоторепортеров, юные старлетки в роли богинь соблазна и водовороты журналистов вокруг божественных Леонардо Ди Каприо, Роберта Де Ниро, Шэрон Стоун, Николь Курсель, Тома Круза, Джека Николсона и прочих королей американского и европейского экранов. Иногда в их ряды заносит и русские лица Павла Лунгина, Виктора Каневского и Отара Иоселиани. Между просмотрами фильмов и пресс-конференциями из Дворца фестивалей сюда, на поляну с шатрами, постоянно спускаются участники и гости фестиваля, а к вечеру всю эту пеструю ярмарку тщеславия и славы, рекламы и саморекламы, бизнеса и трепа, дела и понта подсвечивают красочные фейерверки, взлетающие над вечерней набережной и городской гаванью.

Алена и Маргарита с бокалами в руках вышли из французского павильона и с потоком гостей, прогуливаясь, направились к соседнему, итальянскому.

— А ты не хотела ехать! — возбужденно говорила на ходу Маргарита. — Здесь потрясающе! Столько мужчин! И каждый третий — миллионер! Посмотри на эти яхты! Знаешь, сколько они стоят? — Она кивнула на вереницу роскошных яхт, густо облепивших все пирсы. — Здесь миллионеров больше, чем нормальных людей!..

— Рита, мне тут надоело, — перебила Алена. — Я не собираюсь ловить миллионера только потому, что мы должны банку двести тысяч.

— Почему? — обиделась Маргарита. — Среди миллионеров иногда бывают приличные люди.

— Спасибо, одного я уже имела. Уж лучше я найду этого мерзавца Красавчика и подпишусь на какую-нибудь аферу...

— Извините, вы говорите по-польски или по-русски? — по-французски спросил мужской голос позади них.

Маргарита и Алена повернулись, Маргарита окинула любопытного оценивающим взглядом.

Он был далеко не Ален Делон и даже не Том Круз, но одет с тем небрежным шиком, какой могут позволить себе только очень богатые люди. А бронзовый загар выдавал заядлого яхтсмена.

— По-русски... — выжидательно сказала Маргарита.

— О, это замечательно! — воскликнул яхтсмен. — Знаете, я ни слова не знаю по-русски. Только «водка», «Горбачев» и «спасибо». Конечно, это очень стыдно, потому что мой дедушка из России, он говорил со мной по-русски, но он умер, когда мне было пять лет, и я все забыл. Позвольте представиться, Алан Кушак.

— Меня зовут графиня Марго, — кокетливо сообщила Маргарита, — а это моя подруга Алена.

— Очень приятно, — сказал Алан. — Альона?.. Альона... Это из детской сказки, правда?

— Да, про братца Иванушку и сестрицу Аленушку, — подтвердила Маргарита. — Теперь я верю в ваши русские корни. Хотя на вид вы абсолютный бразилец.

— О нет! Я француз.

— А вы знаете, что такое «кушак» по-русски? — спросила Алена.

— Наверно, в детстве знал. Но уже забыл.

— Кушак — это пояс, только не кожаный, а матерчатый.

— Что вы говорите?! Вы филолог? Слушайте, с вами так интересно! И мне так нравится ваш русский акцент! Вы не находите, что здесь очень скучно?

— Ужасно! — подтвердила Маргарита.

— А вы не хотите прокатиться на яхте? Моя яхта будет счастлива покатать русских дам. Знаете, как она называется? Угадайте!

— Любовь, — сказала Маргарита.

— Нет, но тепло.

— Мечта, — сказала Маргарита.

— Нет, но еще теплей.

— Crazy, — сказала Алена.

Алан изумленно повернулся к ней:

— Правильно! Вы опасная женщина!

— Нет, просто я давно заметила это название, вон там... — И Алена показала на яхту «Crazy», пришвартованную неподалеку.

«Crazy» оказалась спортивной парусно-моторной яхтой, которая, по словам Алана, дважды обогнула земной шарик. Маргарита и Алена, стоя на палубе, наблюдали, как Алан ловко поставил парус и как неслышно, словно невесомая, отошла эта яхта от берега и заскользила по лунной морской дорожке. Вокруг была живая гладь ночного моря и отражение гирлянд береговых огней на тихой фосфоресцирующей воде. Чем дальше они отплывали, тем шире открывался Лазурный берег, украшенный мириадами огней в прибрежных городах и бухтах, и тем больше ветра набирала яхта в свои паруса.

— По-моему, — негромко сказала Алене Маргарита, — только псих может назвать свою яхту «Crazy».

Наблюдая за Аланом, который то подтягивал парус, то отпускал его, ловя почти неощутимый бриз, Алена произнесла:

— А по-моему, это красиво.

— Ага! Так-так! Мы, кажется, клюнули... — заметила Маргарита.

Тут Алан, убрав паруса и положив яхту в дрейф, подошел к ним:

— Ну как? Вам нравится?

— Очень! — воскликнула Маргарита. — Так романтично! Кто вы? Принц? Кинопродюсер? Голливудская звезда? Граф Монте-Кристо?

— О нет, я просто любитель острых ощущений, — усмехнулся Алан. — «Кэмел-трофи», горные лыжи, охота на акул, африканские сафари и вообще все, что позволяет богатым бездельникам убить время и почувствовать вкус этой пресной жизни. Вы знаете, почему сегодня море так светится?

— Это из-за луны, — сказала Маргарита.

— Ничего подобного, графиня, — улыбнулся Алан. — В этом году теплое течение пришло сюда на месяц раньше, и вместе с ним в бухту зашли пара миллионов медуз. Это они фосфоресцируют. Причем что удивительно: чем ядовитей медузы, тем они ярче светятся.

— Тогда эти медузы должны быть просто смертельны, — заметила Маргарита.

— Сейчас проверим, — сказал Алан и вдруг, не раздеваясь, прыгнул в воду.

— Ой! Боже, он и правда псих! — по-русски воскликнула Маргарита.

Алена, усмехнувшись, принялась раздеваться.

— Не смей! — сказала Маргарита. — Это опасно!

Но Алена уже прыгнула в воду.

И тут же страшная боль ожога пронзила все ее тело так, что она задохнулась.

— Алена! — в ужасе закричала Маргарита, глядя, как Алена, теряя сознание, идет ко дну. — Алена! Алан!!!

Но Алан уже и сам мощными бросками летел в воде к Алене, подхватил ее, подтянул к яхте и по веревочной лестнице стал втаскивать на борт.

Еще через минуту Алена, уже совершенно голая, лежала на палубе животом вниз, а Алан и Маргарита спешно смазывали ее красное от ожога тело зеленой мазью концентрированного алоэ.

Алан по-французски говорил:

— Ты сумасшедшая!

— Ты тоже, — ответила Алена, морщась от боли.

— Ничего подобного. Это мой трюк. Израильтяне придумали крем от медуз, я мажусь им заранее, а потом делаю этот трюк. А ты... Еще пару минут, и на тебе не было бы живого места!

— И много девушек ты подцепил этим трюком?

— Такой сумасшедшей, как ты, ни одной!

— А по-моему, вы оба психи! — заметила Маргарита. — Что с кремом, что без!

— Теперь перевернись на спину, — приказал Алан Алене. — Можешь?

Алена посмотрела ему в глаза, и он, не выдержав ее взгляда, стушевался:

— Нужно смазать твои ожоги...

Алена усмехнулась и перевернулась на спину.

Рука Алана — с кремом на ладони — медленно пошла по ее обнаженному (и обожженному) телу, ворожа своей прохладой и нежностью...

## 174

Это был роман, достойный экрана Каннского фестиваля. Алан и Алена на Багамах, под водой, с аквалангами и в компании акул... В Египте на «Кэмел-трофи» — гонках на джипах в пустыне... Обнявшись, выпрыгивают из самолета, камнем летят вниз и на высоте 1000 метров открывают спаренный парашют над Гранд Каньоном... Несутся на мотоциклах по соляному пласту в Аризоне... На джипах — по африканским джунглям и на каноэ — по горным рекам и водопадам... А в промежутках — постель, страсть, нежность. И снова — регата... горные лыжи на Памире... крокодилы в Танзании... И опять — постель в гостиничном номере, Алан говорит устало:

— Знаешь, мне ни с кем не было так хорошо...

Но Алена усмехнулась:

— Если ты скажешь это еще раз, я тебя убью.

Он удивился:

— Почему?

— Потому что вы все так говорите.

Он обнял ее.

— Но это правда! Ты — единственная, кто меня понимает. Я это увидел сразу, когда ты прыгнула за мной к медузам. Я подумал: «Боже мой, Алан, только русская способна на это! Второй такой сумасшедшей нет во всем мире!» И я не ошибся — ты просто чудо! Везде — в пустыне, в джунглях, в постели — you are the best, ты самая лучшая! Я даже не понимаю, как я жил раньше. Нет, теперь мы будем вместе всегда, каждую минуту... Я... я тебя люблю...

Алена прижалась к нему.

— А вот этого говорить вообще не надо! У тебя есть жена, дети...

— При чем тут жена? Это в прошлом. Я хочу жить с тобой, и только с тобой. Я даже не могу представить, как я смогу теперь лечь с ней в постель или просто сесть с ней завтракать... Кстати, я ужасно голоден! Почему после тебя я всегда так голоден?

Алена потянулась к телефону:

— Что тебе заказать?

Но Алан удержал ее:

— Нет-нет! И не думай! Сейчас у меня голод другого рода!..

Но конечно, помимо экзотических и диких мест, были Рим с его имперской архитектурой и итальянским темпераментом, Вена с ее музыкой и пирожными, Амстердам с его рынком тюльпанов и бутербродами с селедкой, Лондон с его театрами, Венеция с ее голубями и каналами, Хельсинки с их лучшими в мире русскими ресторанами, Мадрид с его божественным кофе и Париж с его самым «вкусным» Латинским кварталом, легендарным «Мулен Руж» и жареными каштанами на Понт де Нев.

Казалось, они уже видели все. Но когда их спортивный «порше» по насыпной дамбе катил из Бретани к Мон-Сен-Мишель, крошечному острову в Атлантическом океане, даже у видавшей виды Алены захватило дыхание от его оригинальной красоты. Воспаривший над водой город-скала с нормандскими флагами над готическим монастырем и узенькими улочками внутри монастырского двора был реальным воплощением призрачного града Китежа, только на франко-готический манер.

— Это девятое чудо света, — с улыбкой сказал Алан. — Здесь проводят медовый месяц все новобрачные короли и принцы, все миллиардеры и все суперзвезды кино...

Действительно, когда в маленькой рецептории старинного сен-мишельского отеля Алан взял у портье ключ от номера и повел Алену по коридору, украшенному фотографиями постоянных гостей этого острова, голливудских звезд в этой галерее оказалось не меньше, чем на Каннском кинофестивале.

А когда Алан открыл номер, у Алены просто дух захватило — их номер нависал над ночным океаном, как каюта океанского лайнера, волны, серебрясь под луной, романтично плескались у балкона, а в комнате перед балконной дверью стоял стол, накрытый по-праздничному — цветы, свечи, закуски на красивой дорогой посуде и шампанское в серебряном ведерке.

Сидя за этим столом, Алан сказал:

— Я хочу выпить за тебя. Я тебя люблю.

— И я тебя.

— Но я должен сделать одно признание.

— Стреляй.

— Нет, это не так страшно. Просто, как ты знаешь, я женат. Но это не простой брак. Это брак по контракту. Понимаешь, когда я был студентом в Сорбонне, со мной училась одна девушка... Очень умная и очень богатая, дочь швейцарского банкира. Мы поженились, я много работал и преумножил богатство нашей семьи. А потом... Потом мы охладели друг к другу, это, как ты знаешь, бывает в семейной жизни. Но вместо развода она предложила мне такой контракт. Очень смешной: полгода в году я живу с ней как муж, в нашем поместье в Анси, а полгода я свободен.

— Понятно, — сказала Алена с горькой улыбкой. — И сколько ты уже так выдержал?

— Девять лет.

— И не повесился?

— Понимаешь, нас многое связывает. А кроме того... Знаешь, развод — это очень непростое дело. У нас во Франции все законы на стороне женщины, а моя жена не просто умная женщина, нет, она гений. Дав мне свободу, она получила такие козыри... Короче, в случае развода я потеряю все.

— А зачем ты это рассказываешь? Разве я прошу тебя разводиться?

— Нет. Но сегодня кончаются мои полгода свободы. Завтра я должен быть дома, в Анси. Поэтому мы приехали сюда. Теперь мы увидимся только через шесть месяцев.

Конечно, она поняла больше, чем он сказал. И все-таки не сдержалась:

— Ты негодяй.

— Подожди. Пойми, я же не думал...

Она перебила:

— Сколько таких прощальных ужинов было в этом номере?

— Какое это имеет значение? Я же не знал, что встречу тебя. Я оставлю тебе деньги — сто тысяч долларов, двести! Ты ни в чем не будешь нуждаться! Только обещай, что ты дождешься меня! Прошу тебя!

— Боже мой, — произнесла Алена по-русски, — я опять влипла! Опять!

— Что? — переспросил Алан. — Я не понимаю по-русски.

— А пора бы... — Алена вздохнула. — Конечно, мы будем тебя ждать.

— Мы? Кто «мы»?

— Дорогой, я тоже должна сделать признание. Я беременна. — Алена упредительно подняла руку. — Тихо! Не перебивай! И даже не вздумай просить меня об аборте! Я на третьем месяце, и как раз тогда, когда ты вернешься, нас будет двое. Можешь выпить за это. А я пить не буду, мне нельзя...

## 175

Пять месяцев спустя Алена — с огромным животом — медленно шла по детской секции многоэтажного парижского универмага «Les Halles» и складывала в тележку покупки — пестрое постельное белье для будущей новорожденной, розовые распашонки, ванночку, памперсы, бутылочки с сосками, погремушки.

Здесь же, в магазине, и с такими же тележками, нагруженными покупками, и корзинками с крошечными спящими малышами разгуливали молодые матери и бабушки. Алена засматривалась на этих малышей, а их матери заговаривали с ней, улыбались, спрашивали, когда у нее роды, и советовали, что купить.

Нагруженная пакетами и сумками, Алена на своем маленьком «рено» приехала домой, запарковалась, как настоящая парижанка, на крошечном пятачке перед жилым многоквартирным домом на недорогой улице Бон-Нувель и лифтом поднялась к своей квартире на пятом этаже, которую она арендовала тут по весьма скромной цене. Но, выйдя из лифта, остановилась — на площадке возле двери ее квартиры стояла стильно и дорого одетая брюнетка лет тридцати пяти, с умным и по-итальянски красивым лицом и живыми темными глазами.

— Бонжур, — сказала она, — вы Алена?

— Да...

— Я Илона Кушак-Превер, жена Алана. Я хочу с вами поговорить. Могу я войти?

Алена открыла дверь своей квартиры.

— Да, пожалуйста.

И, занеся в квартиру покупки, тяжело села за стол.

— Извините, мне трудно с животом... Садитесь...

— Я понимаю. — Илона, осмотревшись, села напротив нее. В квартире уже стояли детская кроватка, коляска, столик для пеленания ребенка. — Когда вы собираетесь рожать?

— Через две недели.

— Судя по розовым распашонкам, это девочка.

— Да.

— А ты знаешь, что заранее, до родов ничего ребенку покупать нельзя, это плохая примета.

— У меня нет выхода. Как видите, я живу одна.

— Впрочем, это ничего, я позабочусь о девочке.

Алена изумилась:

— В каком смысле?

Илона достала из сумочки какие-то бумаги, положила их на стол перед Аленой.

— Что это? — спросила Алена.

— Это, — стала показывать Илона, — банковский чек на миллион долларов. А это бумаги на отказ от ребенка и билет Париж — Москва в первом классе. То есть ты подписываешь, что в момент рождения ребенка отдаешь мне эту девочку и тут же улетаешь в Россию. И получаешь за это миллион долларов. Договорились?

Алена посмотрела ей в глаза и сказала негромко:

— Вон отсюда.

Илона поморщилась:

— Подожди. Не нужно этих русских страстей, я тоже читала Достоевского. Я предлагаю тебе честную сделку...

— Вон отсюда, или я позову полицию.

— Как ты не понимаешь? Алан от меня никогда не уйдет. Это большой ребенок, который не может жить без своих игрушек — яхт, машин и таких девочек, как ты. Знаешь, какая ты у него по счету? Смотри... — Илона выложила перед Аленой веер фотографий, снятых, судя по ракурсам, скрытой камерой. На этих фото Алан был снят с разномастными девушками на яхте «Crazy», на лыжных курортах и на парижских улицах. — Знаешь, — продолжала Илона, — если при разводе я предъявлю эти фото в суде, вы не получите ни франка.

Алена оттолкнула фотографии.

— Уходите.

— Два миллиона! — воскликнула Илона. — Я дам тебе два миллиона за этого ребенка!

Алена тяжело поднялась, подошла к тумбочке и сняла телефонную трубку, собираясь набрать номер полиции. Но Илона вскочила и выбила трубку у нее из рук.

— Не смей! — крикнула она. — Имей в виду: или ты отдаешь мне ребенка и уматываешь в свою Россию, или я сгною тут и тебя, и твоего ублюдка! Мы в Европе уже на стенку лезем от вас, русских шлюх! Вы приезжаете, торчите на улицах, в клубах, а потом проникаете в наши дома и уводите наших мужей! Я потрачу десять миллионов, но я тебя уничтожу, и твоего ребенка тоже! Лучше возьми эти деньги...

Алена, поглядев на телефонную трубку, за которой она не могла нагнуться из-за своего живота, достала из сумочки мобильный и набрала номер.

— Полиция? Пожалуйста, рю Бон-Нувель, 8...

— Дрянь! Ты пожалеешь об этом! — Илона спешно собрала бумаги и фотографии и ушла, хлопнув дверью.

— Извините, — сказала Алена в телефон, дала отбой и, поддерживая руками живот, тяжелой разлапистой походкой женщины на сносях подошла к окну.

Из окна было видно, как на улице Илона села в черный «бентли» и уехала.

## 176

Слежку за собой она заметила через три дня, когда отъехала от офиса врача. Серый «пежо» шел за ней как привязанный, открыто и демонстративно.

Нахмурившись, Алена свернула в одну улицу, потом в другую — «пежо» не отставал. Подъехав к своему дому, Алена остановилась и, не выходя из машины, снова посмотрела в зеркальце заднего обзора.

«Пежо», остановившись в нескольких метрах позади нее, тоже стоял, ждал, никто не выходил из машины.

Вздохнув, Алена достала из сумки мобильный телефон и записную книжку, нашла нужную страницу и, глядя на нее, набрала номер.

— Бонжур, это мадам Бочкарева. Можно мсье Нектера? Занят? Не важно, передайте, что я буду через полчаса, это срочно.

И, не заходя домой, Алена поехала обратно в центр, к адвокату.

«Пежо» следовал за ней.

Толстяк Мишель Нектер был молод, не старше тридцати пяти, но даже по тому, как выглядел его офис (мебель девятнадцатого века, ковры, картины голландской школы и лепнина времен Наполеона), можно было уверенно сказать, что его адвокатской фирме не меньше века. А если принять во внимание ее расположение — в старинном особняке по соседству с Дворцом правосудия, — то можно легко прибавить еще сотню лет, поскольку позже приобрести целый особняк рядом с Дворцом правосудия стало не по карману даже адвокатам.

— А вы записали этот разговор на пленку? — спросил Нектер, сидя за своим старинным бюро.

— Нет, к сожалению, — ответила Алена. — Я ведь не ждала ее.

— Жаль! Такая пленка могла бы стать нашим главным козырем в суде! А без этого что я могу вам сказать? Можно я буду называть вещи своими именами?

— Да, пожалуйста.

— Вы должны учитывать некую предубежденность против русских, которая сейчас существует. Мы, французы, иностранцев вообще не любим. Англичан мы ненавидим, итальянцев презираем, немцев терпеть не можем, а уж про евреев и арабов — лучше не спрашивайте! Хотя к русским мы всегда относились неплохо. Особенно после Сталинграда. Однако теперь, когда вы снова оккупировали Париж и все наши курорты на Лазурном берегу и привезли с собой криминал и проституцию, — ну подумайте: как вас можно любить? Я имею в виду не вас лично, вы, мадам, достойны самой высокой любви, тем более в вашем положении! Но судья... Судья априори отнесется к вам так, как пишут сейчас в газетах обо всех русских девушках, которые приезжают в Париж. Поэтому что он сделает в лучшем случае? Назначит генетическую экспертизу. Вы уверены, что этот Кушак — отец вашего ребенка? Да или нет?

— Да.

— Абсолютно?

— Да, абсолютно, — твердо сказала Алена.

Некоторое время Нектер внимательно разглядывал Алену, буравя ее своими темными глазами. Потом спросил:

— А вы вообще знаете, сколько стоит ваш Алан Кушак?

— В каком смысле? — не поняла Алена.

Нектер порылся в завалах папок на своем столе, извлек из-под них журнал «Форбс» и открыл его.

— Вот, пожалуйста. По сведениям журнала «Форбс», семейство Превер-Кушак весит 12 миллиардов долларов и занимает 17-е место в таблице самых богатых семей мира. То есть в случае чего на долю этой Илоны и трех ее сынков приходится по три миллиарда. А тут появляетесь вы с вашей дочкой и говорите: нет, теперь будет не три наследника, а четыре. То есть хотите отнять два миллиарда с мелочью. И ведь отнимете, если экспертиза на ДНК подтвердит его отцовство, а я буду вашим адвокатом. Но если не подтвердит, они вас просто размажут за шантаж! Так что решайте сейчас, мадам: он отец или он только *вероятный* отец? У этого кабинета нет ушей, и за триста лет существования нашей фирмы эти стены слышали еще и не такие секреты.

Алена улыбнулась:

— Мсье Нектер, Алан Кушак — отец моего ребенка.

Нектер, несмотря на свою полноту, вдруг живо встал:

— Мадам, я вас поздравляю! Идите, рожайте, и мы победим! А на слежку не обращайте внимания, это они вас прессуют морально. Да, между прочим, мой гонорар — пять процентов от нашего выигрыша. Вы согласны?

— Я к вам пришла не ради этого. Я не хочу судиться.

— Я знаю, дорогая. Но на войне как на войне — другого выхода нет.

## 177

Схватки были мучительны и казались бесконечными, медсестры-акушерки и Маргарита, прилетевшая из Вильфранша, хлопотали у кровати Алены, и врач наконец сжалился над Аленой, сделал ей глубокий обезболивающий укол...

А тем временем вдали от Парижа, в Анси, в библиотеке родового замка Преверов проходило совещание Илоны Превер-Кушак с ее адвокатами. Здесь же, у окна с видом на соседние Альпы, сидел Алан, насупившись, как провинившийся школьник.

На столе перед Илоной и адвокатами веером лежали фотографии Алены и Алана, сделанные частным детективом с помощью длиннофокусной оптики. На этих фото были все или почти все их эскапады — на ралли, в сафари, на горных лыжах, на подводной охоте, в прыжках с парашютом, на улицах Парижа, Рима и Мадрида.

Старый, лет за семьдесят, адвокат, абсолютно игнорируя присутствие Алана, разговаривал только с Илоной:

— Есть ли у нас хоть один шанс доказать, что Алан не отец этого ребенка?

Илона бессильно пожала плечами.

— Если такого шанса нет, — сказал старик, — если твой Алан уверен, что это его ребенок, и если твои детективы подтверждают, что она была с ним неразлучна во всех его путешествиях, то нам лучше избежать генетической экспертизы и решать эту проблему другим путем.

— Каким? — спросила Илона.

— Детка, — улыбнулся старик, — наша фирма вела дела еще твоего прадедушки, и тогда мы выигрывали дела посложнее этого. В конце концов, чего ты хочешь? Не допустить раздела наследства, не так ли? Что ж. Выходит, если нельзя купить у нее этого ребенка, то нужно его отнять. То есть лишить эту русскую девку родительских прав, вот и все.

— Но как? Как это сделать? — воскликнула Илона. — При наших законах!

— Ну, по закону лишить мать родительских прав можно только в очень редких случаях — если она безнадежная алкоголичка или наркоманка, — сказал старик. — Здесь, к сожалению, не та ситуация. Но!.. Мы приложили некоторые усилия и получили кое-что поинтересней...

Старик жестом приказал своему помощнику открыть потасканный кожаный, времен, наверно, Наполеона Бонапарта, портфель-саквояж. Тот открыл и выложил на стол толстое и аккуратно переплетенное досье.

Илона потянулась за досье, но старый адвокат положил на него руку.

— Детка, — сказал он, глядя Илоне в глаза, — в этой папке полное решение твоей проблемы, то есть спасение двух миллиардов долларов. Ты поняла меня?

— Я поняла, — нетерпеливо сказала Илона.

Но адвокат не выпускал папку.

— Что ты поняла?

— Я поняла, что, хотя мы сотрудничаем сотню лет, в особых случаях наша семья платит вам по двойной ставке. На этот раз ставка будет тройная.

— Умница, — улыбнулся старик и убрал свою руку с папки.

Илона открыла досье.

На первой же его странице были полицейские фотографии Алены в фас и в профиль, сделанные еще во время ее пребывания в испанской тюрьме... Затем на следующих страницах вместе с полицейскими рапортами и документами по-испански и по-французски шли фотографии Алены с Коромысловым на теплоходе «Бато Муш» во время банкета 8 мая в честь Дня Победы... фото Алены с председателем Фонда поддержки воздушных путешествий в Тулоне на судоверфи... и фото Алены с Красавчиком в польской полиции...

Илона, рассматривая эти фотографии и читая документы досье, даже встала и повизгивала от ликования:

— Потрясающе!.. Какая прелесть!.. Фантастик!..

Алан, раздираемый любопытством, подошел к ней, заглянул в досье, и лицо его вытянулось от изумления. А Илона вдруг повернулась и отвесила ему звонкую пощечину.

— Идиот! Ты б еще алжирскую террористку забрюхатил!

— Спокойно, — сказал старый адвокат. — Этого досье достаточно, чтобы депортировать ее из Франции в двадцать четыре часа.

— С ребенком? — спросила Илона.

— Нет, конечно. Ребенок от француза и родится в Париже, а Франция не выбрасывает из страны своих детей. Иначе российские адвокаты вцепятся в это дело мертвой хваткой. Девочку вам придется удочерить.

## 178

Девочка родилась восьмого марта, в Международный женский день, о котором во Франции никто почему-то не знает. Алена сначала думала назвать ее Мартой, но это звучало больше по-немецки, чем по-русски или по-французски, и в результате дискуссий Алены с Маргаритой девочка стала Felice, то есть Фелицией по-французски и Феклой по-русски. Нужно сказать, что то ли в силу франко-русской смеси, то ли по каким-то иным причинам девочка с первой минуты выглядела небесным ангелом — тонкое ангельское личико, большие голубые глаза, огромные ресницы, прозрачная белая кожа, крошечные кукольные ручки. При одном взгляде на нее хотелось улыбаться, трогать ее, покупать ей игрушки...

Но пока она получала свое имя, первые прививки и материнскую грудь, совсем в другом месте решалась ее судьба. Многоопытные адвокаты Илоны Превер-Кушак подали в суд документы на лишение Алены родительских прав и депортацию, судебные клерки зарегистрировали эти документы, а прокурор санкционировал расследование прошлого Алены по представленному в суд досье.

И когда Алена с Фелицией на руках приехала к своему адвокату, он встретил их весьма сухо.

— К сожалению, мадам, — сказал он Алене, — открылись обстоятельства, о которых вы меня не поставили в известность. Ваше прошлое дает адвокатам мадам Илоны Кушак очень веские основания требовать вашей депортации и лишения вас материнских прав...

— Но это *мой* ребенок!

— С ребенком будет все в порядке. По нашим законам, девочке должен быть обеспечен тот же уровень образования и комфорта, какой имеют остальные дети ее отца. И я могу оформить это судебным постановлением. Я могу через суд получить опеку над этой крошкой, она будет воспитываться в лучшем пансионате.

— То есть как в пансионате? — опешила Алена. — А я?

— Мадам, я ваш адвокат, я работаю в ваших интересах. И я вам говорю: я видел ваше досье, а вы свое прошлое знаете еще лучше. У вас нет шансов сохранить ребенка. Вас депортируют, а ребенка отнимут. И это неизбежно, мадам, с этим ничего поделать нельзя, это цена вашей прошлой жизни. Поэтому мы должны думать уже не о вас, а об этой крошке. Что лучше: отдать ее отцу, чтобы его жена содержала ее как Золушку и воспитывала в ненависти к вам, или вы дадите мне право на ее опеку? В этом случае суд определит сумму ее наследства и до совершеннолетия она будет под моей протекцией. А я буду по телефону консультироваться с вами...

— По телефону? — в ступоре спросила Алена.

— Конечно, — терпеливо сказал Нектер. — После депортации вам будет закрыт въезд во Францию.

Но Маргарита смотрела на вещи не так трагично.

— Во-первых, — сказала она, — я не могу себе представить, чтобы во Франции у матери отняли ребенка. Это нужно не знаю что сделать! Взорвать Нотр-Дам! Я живу тут сорок три года и не помню ни одного такого случая. А во-вторых, имей в виду: даже самые лучшие адвокаты в первую очередь думают о себе. Твой адвокат тебя запугивает, чтобы получить опеку не над ребенком, а над ее наследством. Два миллиарда долларов на восемнадцать лет — совсем неплохо, только на банковские проценты я могла бы жить как королева! Нет, наплюй на все, береги нервы и молоко в груди и отвези меня в аэропорт, мне пора домой.

— Как? Ты меня бросишь? В такое время? — изумилась Алена, поскольку Маргарита была теперь как бы дважды ее должницей — большую часть денег, которые Алан полгода назад оставил Алене, она тогда же отдала Маргарите на покрытие их долга банку.

Однако у Маргариты был свой резон.

— Детка, — сказала она, — посмотри на себя и посмотри на меня. «Такое» время или другое — у тебя его еще навалом. А у меня отсчет времени уже идет, как у космонавтов, в обратную сторону: пять, четыре, три, два, один, старт! И — к звездам! Понимаешь?

Алена отвезла Маргариту в Орли, а когда возвращалась обратно с Фелицией, спавшей в кресле-корзинке на заднем сиденье, снова увидела позади себя все тот же серый «пежо». И с этой минуты они, похоже, уже не спускали с Алены глаз. Ехала ли она куда-то в машине, была ли дома или катала Фелицию в коляске по Большим бульварам и Монмартру, они следовали за ней по пятам, а там, где машиной было не проехать, два молодых шпика выходили из авто и нагло шли за Аленой как привязанные. Это было открытое психологическое давление, к которому невозможно привыкнуть и которое невозможно игнорировать. Оно сбивало с мыслей, действовало на нервы и заставляло постоянно гадать, чего же они добиваются этой слежкой, ведь она не собиралась встречаться с Аланом ни открыто, ни тайно.

Но однажды, когда Алена, взвинченная их преследованием, рассеянно переходила с коляской через улицу, какая-то машина чуть не сбила коляску. Визг тормозов и ругань женщины-водителя отрезвили Алену, она посмотрела по сторонам, увидела нагло ухмыляющихся шпиков и остановившееся «пежо» и все поняла — они хотели этой аварии! Они хотели смерти Фелиции!

А вокруг был Париж, его прекрасные набережные... беззаботные лица туристов... залитые солнцем улицы... шарманщик на мосту...

Алена поклялась взять себя в руки.

А ровно через два дня к ней на квартиру явился констебль, вручил ей вызов в прокуратуру:

— Мадам, распишитесь в получении.

Алена, опешив, расписалась.

Он предупредил:

— Мадам, вы расписались в том, что завтра в десять утра добровольно явитесь вместе с ребенком к следователю в прокуратуру. Если вам неудобно это время, я могу его изменить.

— Нет, ничего... — заторможенно произнесла Алена.

— Извините, мадам, я также хочу вас предупредить, что если вы проигнорируете этот вызов, они приедут сюда сами. С полицией.

— Я поняла, мерси.

## 179

Аэрофлотский «боинг», снижаясь, вошел в облачность, стюардесса, стоя в служебном отсеке с микрофоном в руках, объявила:

— Дамы и господа! Командир самолета включил табло «Пристегнуть привязные ремни». Через несколько минут наш самолет совершит посадку в аэропорту Шереметьево. Температура в Москве...

В аэропорту Алена с дочкой в нагрудной сумке для малышей и увесистой дорожной сумкой с пеленками, распашонками и детским питанием в руках вышла из самолета и вместе с другими пассажирами пошла по длинному круговому переходу к лестнице, ведущей к будкам паспортного контроля. Улизнуть от парижских шпиков ей, конечно, не составило труда, куда больше ее беспокоило, как перенесет это путешествие Фелиция, ведь лететь пришлось не из Парижа — мало ли что могло случиться в аэропорту! — а из Женевы, до которой Алена с Фелицией добирались машиной. Но девочка, видимо, с молоком матери впитала тягу к полетам и за все время ни разу не заплакала, а теперь, вдыхая воздух новой родины, вообще чувствовала себя замечательно — чмокая соской, она ангельскими глазками оглядывала окружающих, будки пограничников и странный, из обрезков труб или гильз, потолок шереметьевского аэровокзала. «Люба ты моя, — мысленно твердила ей Алена, — продержись еще несколько минуток, и мы будем дома! Уж тут-то никто тебя у меня не отнимет, и плевать нам на эту

Хранцию с Останкинской телебашни, я увезу тебя к маме в Долгие Крики, буду поить козьим молоком, как меня поили, и мы будем летом купаться в речке, а зимой кататься на саночках. Ты будешь русская! Русская Фелиция Кушак-Бочкарева!..»

— Девушка, ваша очередь, — подтолкнули ее.

Алена подтащила сумку к будке паспортного контроля и положила на стойку свой российский паспорт.

— Здравствуйте, — сказала она.

Пограничница, сидевшая в будке, полистала ее паспорт и спросила:

— А чей это ребенок?

— Как чей? Мой.

— Откуда это известно?

— А! Ну да! Вот, — засуетилась Алена и положила на стойку французский сертификат о рождении Фелиции.

Пограничница повертела документ.

— Что это? — спросила она.

— Ну, это как наше свидетельство о рождении, — объяснила Алена.

— Так это французский ребенок, что ли?

— Это моя дочь, — сказала Алена, — она родилась в Париже.

Пограничница вернула свидетельство.

— Мне это ни к чему. Если это иностранный ребенок, у нее должен быть паспорт и российская виза. А если русский, то она должна быть вписана в ваш российский паспорт. А у вас ни того, ни другого, я этого ребенка пропустить не могу.

— Как это? — опешила Алена и запаниковала: — Подождите! Секунду!

Но пограничница не стала тратить на нее время, а вызвала консула. Консул — молодой парень, не старше 25 лет, — держа в руках документы Алены, направился в свой кабинет справа от будок паспортного контроля. Алена как привязанная побежала за ним, неся на груди ребенка и волоча свою сумку.

— Я вас понимаю, гражданка, но закон есть закон, — сказал консул. — Мы не можем впустить вашего ребенка без визы. Она иностранка, французская подданная. Вам придется вернуться в Париж и оформить ей паспорт и визу. Извините.

— Но мы не можем вернуться в Париж! — почти выкрикнула Алена в отчаянии.

— Почему?

Алена растерялась:

— Потому что... по семейным обстоятельствам!

— Ну знаете... — укоризненно начал консул, но тут его перебил телефонный звонок, он взял трубку. — Да. Кто? Индусы? Иду... — И консул направился к двери, говоря Алене: — Все, девушка, я должен идти. Там еще из Индии полный самолет нелегалов приперся! Что вам тут у нас — медом намазано?

— А куда же мне-то?

— А вон там переждите — и домой, в Париж.

Алена посмотрела туда, куда он показал. Там, под лестницей на второй этаж аэровокзала, спали вповалку беженцы-нелегалы из Индии, Турции, Курдистана и Африки. С детьми, с чемоданами, с узлами...

## 180

Надрывно ревя моторами, спортивные джипы «Кэмел-трофи» неслись по китайской пустыне, взлетая над гребнями барханов и зарываясь на поворотах в сыпучий песок. Водители в шлемах и в запыленных комбинезонах, вцепившись руками в баранки, вели свои машины, поглядывая на дрожащие стрелки спидометров, индикаторы запаса горючего и воздуха в шинах.

К вечеру колонна влетела в крошечный китайский городок и остановилась у транспаранта с надписью «CAMEL RACE. HALT 37»[1], где дежурили механики, телеоператоры и китайские мальчишки-болельщики.

Водители, выключив моторы, устало выбрались из машин. Одним из этих водителей был Алан Кушак. Стянув с головы шлем и очки, он передал свой красный джип своему постоянному механику-австрийцу и вместе с другими водителями, в окружении китайских мальчишек, усталой походкой направился к крошечной гостинице.

На веранде гостиницы под цветным бумажным зонтиком с банкой сока в руке сидела его жена Илона.

Алан остановился, нахмурился.

— Зачем ты приехала?

Илона улыбнулась:

— На тебя взглянуть.

---

[1] Гонки «Кэмел», 37-й привал.

— Разве твои шпики не доложили тебе, что я тут один?

— Именно это меня и беспокоит. Может, ты заболел?

— Ты меня не вылечишь.

— Как знать... — Илона сексуальной походкой подошла к Алану, но он попробовал уклониться, обойти ее. Однако обойти эту женщину еще не удалось никому в мире. Она преградила Алану путь: — Дорогой, мы же не будем ссориться в Китае! В конце концов, я твоя жена. И я тоже кое-что умею. Не хуже, чем все твои...

И это было правдой. Илона умела все, что умели другие. А потом, ближе к рассвету, лежа на мате в крохотном номере этой гостиницы, она уснула, хозяйски накрыв Алана рукой и положив на него свое колено. Но Алан не спал, он лежал с открытыми глазами и смотрел в потолок, украшенный бумажными павлинами. Потом осторожно снял с себя руку и ногу Илоны, неслышно поднялся, взял в охапку свои брюки, рубашку и ботинки, на цыпочках подошел к двери, украшенной летающими змеями, отодвинул ее...

Илона спала, когда предрассветную тишину вдруг взорвал хрип заведенного мотора. Она вздрогнула, открыла глаза, пошарила рукой рядом с собой и услышала удаляющийся рев. Вскочив, она набросила на себя халат и выбежала из гостиницы.

В рассветной серости был виден красный джип, удаляющийся по пескам.

— Алан!.. — крикнула Илона. Потом сокрушенно покачала головой, вздохнула и повернулась к заспанному механику-австрийцу, выскочившему из своего номера.

— В чем дело? — спросил механик. — Куда он поехал?

Илона усмехнулась:

— В аэропорт.

— Зачем?

— Чтобы улететь в Париж к своей русской шлюхе.

— Ничего не понимаю! У нас же гонка!

— Он больше не участвует. Вы уволены.

— Что?

— Вы уволены, можете отправляться домой.

— Послушайте, мадам Кушак, — разозлился австриец. — Я не знаю, что у вас произошло с мужем, но у меня с ним контракт.

— Послушайте, мсье механик, — снова усмехнулась Илона. — Все контракты моего мужа аннулированы вместе с его кредитными карточками. Его банковский счет закрыт, он нищий. Но он еще не знает об этом, эта замечательная новость ждет его в аэропорту. А у вас, мой дорогой, есть две возможности: остаться с ним в Китае или взять у меня деньги на билет и свалить в свою гребаную Австрию. Выбирайте.

## 181

— Встать, суд идет!.. Именем Французской республики... изучив досье российской гражданки Алены Бочкаревой и ее участие в криминальных операциях... но, учитывая, что эти операции не были направлены против Французской республики и ее граждан... и принимая во внимание то обстоятельство, что она является матерью новорожденной французской гражданки Фелиции Кушак-Бочкаревой, суд, руководствуясь высокогуманными принципами французской демократии, не считает возможным согласиться с требованием прокуратуры о депортации мадам Бочкаревой...

Алена, стоя в зале суда, облегченно перевела дыхание.

Судья продолжал:

— Одновременно, изучив образ жизни и характер отца ребенка мсье Алана Кушака, а также образ жизни матери ребенка мадам Алены Бочкаревой, суд, исходя в первую очередь из интересов новорожденной французской гражданки Фелиции Кушак-Бочкаревой и руководствуясь высокогуманными принципами французской демократии, не считает возможным оставить этого ребенка ни одной из спорящих сторон и постановляет передать Фелицию Кушак-Бочкареву в детский дом, поручив государству и министерству образования Французской республики опеку над ней до ее совершеннолетия...

Алена пошатнулась и дальнейшее слышала уже как в бреду. И только когда два ажана подошли к ней и протянули руки к Фелиции, дикий крик вырвался у нее из груди:

— Не-е-ет!

Но один из полицейских уже заломил ей руки за спину, а второй силой отнял девочку.

Алена, рыдая, рухнула перед судьей на колени:

— Нет! Ваша честь! Не забирайте ее!..

Но судья, не поднимая глаз, тут же покинул зал, и последнее, что увидела Алена перед тем, как полицейские потащили ее к выходу, — это глаза своей девочки на руках у полицейского и тонкую торжествующую улыбку на губах у Илоны, возле которой с пустым лицом стоял ее муж Алан Кушак-Превер.

## 182

— Вы меня помните?

— Конечно, Аврора! — воскликнул Смотрящий. — Проходи! Пиво будешь? Мы тут как раз пиво пьем с астраханской воблой, мне из Москвы прислали...

Алена вошла в квартиру и огляделась с изумлением. Это была не просто роскошная, а буквально барская квартира — огромная, с тяжелой хрустальной люстрой под лепным, с росписью, потолком, с дорогими старинными картинами на стенах, с золоченой, красного дерева, мебелью времен Людовика XIII и с гигантским текинским ковром на полу. В углу стояли новейшая аудиосистема и плоский, с метровым экраном телевизор; перед балконной дверью, за которой был виден Булонский лес, высились бронзовые амуры с подсвечниками в руках.

А в центре этой квартиры за имперским, с гнутыми ножками, столом красного дерева сидели пятеро коротко стриженных братанов в майках и спортивных тренировочных штанах, с цепурами на бычьих шеях и татуировками на плечах и руках. Аккуратно постелив на стол газеты «Аргументы и факты» и «Комсомольскую правду», они своими мощными короткопалыми клешнями разминали на этом столе сушеную астраханскую воблу, отщепляли длинные куски и отправляли в рот, запивая этот волжский деликатес голландским пивом «Amstel», три ящика которого стояли тут же, на ковре.

— Можно мне вас на два слова наедине? — спросила Алена Смотрящего.

— Да говори так, сестренка, тут все свои, — ответил он и представил ее друзьям: — Братки, это наш человек, подруга Красавчика. Садись, сестренка. Ребята, а где для нее «вобля»?..

Алена принужденно села за стол, братки, усмехнувшись на «воблю», гостеприимно открыли ей бутылку пива и положили перед ней на газетку уже размятую воблу. Смотрящий сел напротив, сказал:

— Говори, не стесняйся. Ты чего-то смурная. Случилось чего?

— Мне нужно найти Красавчика. Это срочно.

— Так он же сидит, — сказал Смотрящий.

— Как сидит?

— Ну, точно!

— Нет, вы ошибаетесь, я его вытащила.

— Это я знаю. Он не дома сидит.

— А где?

— В Мексике.

— Где?! — изумилась Алена.

— А ты вообще знаешь, что он у Гжельского свистнул? Компьютерные коды западных банков. И стал их бомбить из Мексики, а его там взяли.

Алена изменилась в лице, Красавчик был ее последней надеждой. Ее плечи обвисли, спина согнулась, и вся она как-то сразу увяла и уменьшилась, словно из нее выпустили воздух. Надо было уходить, но у нее вдруг и ноги отказали, ей стало все равно.

Смотрящий, глядя на это, сжалился:

— Ладно, я тебя прикупил. Он не сидит. Просто он запретил выходить с ним на связь.

— Почему?

— Я же сказал: он увел у Гжельского коды западных банков и слинял с ними в Мексику. Или в Японию. Ты же его знаешь, Красавчика...

— Но он мне нужен! Это по делу! Пожалуйста! — взмолилась Алена.

Смотрящий развел руками.

— Извини... А что у тебя случилось-то?

— Может, мы поможем? — сказал один из братанов, сорокалетний, с короткой челкой и перебитым боксерским носом.

Алена обвела их всех медленным взглядом. Конечно, никто из них не идет в сравнение с Красавчиком, но у нее нет выбора. Вздохнув, она открыла свою сумочку, вытащила из нее стопку французских газет и положила их перед Смотрящим. В газетах были ее фотографии в суде — в тот момент, когда полицейский отнимал у нее ребенка, и в тот момент, когда она упала перед судьей на колени. Над фотографиями были крупные французские заголовки:

LE TRIBUNAL A RETIRÉ SON ENFANTA À UNE AVENTURIERE RUSSE
ALAN COUCHAC A PERDU À LA FOIS SA FILLE ET SA MAITRESSE[1]

— Блин! — воскликнул Смотрящий, увидев эти фотографии. — Так это ты?! А я смотрю газеты и думаю: чего-то больно лицо знакомое!

— А в чем прикол? — поинтересовался один из братков. — За что базар?

— Одну минуту! — сказал второй, вытащил из-под воблы газетную страницу, перевернул ее и показал друзьям: — Вот же!

Действительно, в «Комсомольской правде» были те же фотографии, но с другим заголовком:

ИХ НРАВЫ: МАТЬ ЛИШИЛИ РЕБЕНКА
ТОЛЬКО ЗА ТО, ЧТО ОНА РУССКАЯ

— Так! Ну-ка, ну-ка! — Смотрящий потребовал газету, прочел заметку и поднял глаза на Алену: — Ты бы так и сказала! А то ж я по-французски не волоку, вижу в газетах — лицо знакомое, а чего там...

— Короче, — авторитетно обратился к Алене сорокалетний боксер, — мы эти газеты еще в самолете читали. Гово-

---

[1] «Суд отнял ребенка у русской авантюристки», «Алан Кушак потерял и дочь, и любовницу».

ри, с кем надо разобраться? С судьей? Или с этой сучкой-мильонершей?

И одним движением мощной руки свинтил голову сушеной воблы.

— Да мы им всем ноги из жопы повырываем! — уверенно сказал второй.

— Мы их научим Россию уважать! — поддержал третий.

А Смотрящий объяснил Алене:

— Ребята только с кичи освободились, по работе соскучились.

— Нет, — сказала Алена. — Ничего этого не нужно. Мне нужна моя дочка и «окно» в Россию. Можете?

## 183

Поскольку речь шла о престиже страны, операция была продумана до мельчайших деталей и разделена на три фазы: разведка места действия, то есть осмотр детского дома в Монморанси, тихом и респектабельном пригороде Парижа, где Алена с разрешения суда могла раз в неделю навещать ребенка; похищение девочки не позже 23.00 — с тем чтобы до семи утра, когда в детдоме происходит первое кормление малышей, Алену с ребенком можно было через Германию и Словакию (то есть в обход Польши, с которой у Алены были натянутые отношения) перебросить к украинской границе в район Ивано-Франковска, где по договоренности с украинскими коллегами уже было заготовлено «окно»; и бросок через братскую Украину на родину, под защиту родного флага и российской Конституции.

Для выполнения первой части операции был взят в аренду шестиместный джип «Ниссан» с затененными стеклами, а для второй — дополнительный джип «Чероки».

— Братки, — инструктировал своих сорокалетний авторитет с перебитым носом, — будем гнать на двух машинах. Наша задача такая: если французские менты стопорят Алену и вяжут, мы подлетаем на второй машине и отбиваем ее или хотя бы девочку. Девочка должна быть наша при любом исходе! Даже если нас всех повяжут, один должен оторваться с ребенком, это закон!

На случай такого обострения ситуации братки, живущие в Штутгарте, заготовили «мерседес» с немецкими номерами —

чтобы на франко-германской границе, как эстафету, принять девочку и пролететь с ней через Германию и Словакию без проблем.

В субботу, когда у Алены по расписанию было свидание с дочкой, «ниссан» проводил ее «рено» до департамента Сен-Сен-Дени, въехал вслед за Аленой на проспект Юрия Гагарина и свернул к Монморанси. Там, проезжая вдоль каштановой рощи, чуть отстал, а когда Алена остановилась у детдома, наоборот, проехал мимо и только потом, метров через пятьсот, развернулся и медленно покатил в обратную сторону.

Сидя в джипе, авторитетный боксер и Смотрящий разглядывали детдом через окуляры двух цейсовских биноклей. Это оказалось скромное двухэтажное здание, окруженное небольшим палисадником, примыкавшим к дворику католической церкви. В палисаднике была детская песочница и горка, на которой копошились двух- и трехлетние малыши под присмотром пожилой воспитательницы. Никакой охраны, конечно, не было, и окна даже на первом этаже детдома были без решеток. А на стеклах, которые боксер осмотрел в свой бинокль с особым вниманием, не было заметно ни клемм, ни проводков сигнализации.

— Херня! — пренебрежительно сказал боксер. — Селедка-домушник одной левой любое окно откроет. Нужно только точно знать, где малявка, чтоб не спутать в потемках.

Но и это было продумано: в модном детском магазине «Petit bateau» Алена разыскала фосфоресцирующую куклу-погремушку, которую вешают над детской кроваткой, чтобы ребенок, проснувшись ночью, мог заняться рассмотрением светящейся игрушки, а не орать благим матом. И, выйдя из детдома и отъехав от него в каштановую рощу, где любил сиживать еще Жан Жак Руссо, Алена нарисовала своим новым друзьям внутренний план детдома, обозначила на нем коридор и комнату, где стояли кроватки шести грудных малышей, и кроватку (вторую от окна) со своей Фелицией, над которой она сама повесила фосфоресцирующую куклу-погремушку.

Казалось, все предусмотрено, включая даже такие мелочи, как украинский паспорт для Алены и запасные соски, которые Алена выдала всем участникам операции на случай, если в дороге девочка выронит свою и заплачет. А вместе с соской каждый получил еще по три пластиковые бутылочки с искусственным молоком, на которое перевели ребенка в детдоме...

— Все! — подвел итог боксер. — В понедельник ночью берем ребенка, забурись они со своим Руссо!

Понедельник был выбран для того, чтобы первое подозрение о похищении ребенка пало на Алана Кушака, которому свидание с девочкой разрешалось по воскресеньям. Хотя нянька в детдоме сказала Алене, что Алан не появлялся тут уже больше месяца, нельзя было исключить вероятности того, что он мог появиться здесь завтра, в воскресенье.

Все воскресенье и понедельник Алена не находила себе места, поскольку делать было совершенно нечего, даже собираться в дорогу было нельзя — чтобы ввести полицию в заблуждение, Алена ничего не тронула в своей квартире, все должно было выглядеть так, словно она ни в каком похищении не замешана, а лишь минуту назад вышла из дома. Но именно это безделье было пыткой и терзало нервы. Впрочем, в понедельник к вечеру она взяла себя в руки, и в 9.30 они выдвинулись — впереди «ниссан» с Аленой, Смотрящим, боксером и Селедкой-домушником, а за ними «чероки» с прикрытием. В машине никто не балагурил и не травил анекдоты, все понимали, что идут на дело международной важности. Алена с бьющимся сердцем читала уличные надписи: Rue Cadet... Rue de la Chapelle... Boulevard Ney... От рю Чапелле шла уже прямая дорога на Сен-Сен-Дени, а за бульваром маршала Нея кончался Париж, который она уже больше никогда не увидит. Но ни жалости, ни грусти по этому поводу не было в Аленином сердце — эта гребаная Франция не дала ей ничего, кроме лопнувших надежд, зато отняла самое дорогое — дочку! Так пошли они действительно со своим Руссо, Шанз Элизе и Лазурным берегом! Завтра она будет на Украине, послезавтра — дома, у мамы. Или, чтобы и менты не нашли ее по требованию французов, не ехать к маме? Да, наверно, Франция подаст в Интерпол заявку о поиске пропавшего ребенка, а Интерпол обратится в русское МВД. Черт возьми, куда же ехать? Впрочем, с помощью Стаса и Фонда поддержки воздушных путешествий можно сделать себе новый паспорт и уехать хоть в Сибирь...

Смотрящий, который не читал французских газет, привычно включил «Свободу», по которой он узнавал все новости как в России, так и во Франции. Пражский диктор сообщил о новых бомбежках в Югославии, об очередной перетряске правительства в Москве и мощном землетрясении в Индии. А потом вдруг сказал: «По сообщению французского телеграфного агентства, сегодня в детском доме под Парижем скончалась от пищевого отравления пятимесячная Фелиция Кушак-Бочкарева, дочь французского миллионера и его русской любовницы. Судебный процесс о лишении их родительских прав два месяца назад освещали все французские и русские газеты...»

— Что-что? — не сразу врубилась Алена. — Что он сказал?

— Ты слышала! — отозвался Смотрящий и, включив пятую скорость, рванул в сторону Монморанси.

## 184

Ее выпустили из тюрьмы через три недели, когда даже самому последнему ажану в полицейском комиссариате Парижа стало ясно, что ребенка отравила не Алена, а исчезнувшая в тот же день нянька детдома, труп которой через семнадцать дней нашли в Сене. Московские газеты открытым текстом писали, что святой принцип «шерше ля фам» ведет к мадам Илоне Кушак-Превер, которую смерть девочки избавила от грядущего раздела наследства между тремя ее сыновьями и Фелицией Кушак-Бочкаревой. Но ни одна французская газета не только не стала обсуждать этот инцидент, а даже не опубликовала сообщение об отравлении девочки. В прокуратуре же дело повисело еще пару месяцев как нераскрытое, а затем и вообще утекло куда-то — не то под ковер, не то в долгий ящик...

Впрочем, Алену это уже не интересовало.

Она вышла из следственной тюрьмы опустошенная, как после аборта. Серая, с остановившимся взглядом, повзрослевшая сразу на десять лет, она на метро приехала домой, открыла дверь и вошла в свою квартиру. Медленно, как в ступоре, прошла по гостиной, глядя на детскую коляску... на плюшевого медвежонка, лежащего в детской кроватке, на бутылочки с сосками и баночки с вазелином и присыпками на тумбочке... Открыла шкаф... В шкафу висели крохотные детские платьица, сарафанчики, шерстяные костюмчики... Алена провела по ним рукой и вдруг, сотрясаясь от рыданий, рухнула на пол.

# Часть шестнадцатая

# Последний танец

# 185

Многолетняя война ЭТА, подпольной организации баскских сепаратистов, за независимость от Испании: взрывы и пожары в городских кварталах Мадрида, Барселоны, Бильбао...

Газеты и телевидение всего мира постоянно сообщают об убийствах и покушениях на прокуроров, министров и даже на короля Испании...

Не раз вся Испания выходила на демонстрации в Мадриде и в других городах, требуя прекратить террор и осуждая сепаратистов...

Но ЭТА не прекращает террора, от ее рук уже погибло более 800 человек, а во время одного из терактов в Бильбао, когда было взорвано два кафе в центре города, погибли иностранные туристы...

## 186

Закатное солнце уходило за надгробные плиты и памятники. Как всегда по субботам, Алена сидела на могиле дочки, которую два года назад похоронила тут, под Ниццей, на кладбище de Caucade, где были могилы княгини Елизаветы Кочубей, генерала Николая Юденича, полковника Александра Раевского, поэта Георгия Адамовича и еще трех тысяч русских эмигрантов. Почему-то казалось, что здесь, на Лазурном берегу, девочке (или ее душе) будет покойней, чем на парижском кладбище. Но чем прекрасней стояла погода на побережье, тем больней сжималось сердце оттого, что всей этой божественной красоты не видит ее дочь, не дышит этим упоительным воздухом Средиземноморья и не бегает своими босыми ножками по его теплым пляжам. Стоило подумать об этом, стоило представить, что сегодня девочке было бы два года, она бы разговаривала, смеялась, пела и бегала по пляжу, как слезы накатывались на глаза и Алена, сидя у маленькой надгробной плиты с фотографией Фелиции, заливалась слезами и шептала:

— Девочка моя, девочка...

Но звенел колокольчик кладбищенского сторожа, извещая о закрытии кладбища, и Алена вздыхала, утирала слезы, крестилась и шла к выходу.

Так было и сегодня, с той только разницей, что по дороге Алена почувствовала на себе чей-то пристальный взгляд. Она оглянулась по сторонам и увидела справа от себя, метрах в пятидесяти, мужчину лет сорока, лысоватого, небритого, с черными мешками под глазами. Он сидел перед свежей могилой и смотрел прямо перед собой, туда, где остановилась Алена, но не видел ни ее, ни вообще ничего и никого вокруг.

Алена двинулась дальше к выходу.

Где-то вдали, на окраине кладбища, снова зазвенел колокольчик.

Алена оглянулась.

Мужчина, сидя в своем неутешном горе над свежей могилой, не шевелился и не слышал звона колокольчика, а попрежнему смотрел сквозь пространство невидящими глазами.

Что-то толкнуло Алену вернуться и подойти к нему. Могила, у которой он сидел, утопала в цветах. Над этими цветами на временной стойке была укреплена фотография молодой женщины.

И снова вдали прозвучал колокольчик и голос сторожа:

— Кладбище закрывается... Кладбище закрывается...

— Мсье, — сказала Алена мужчине, — всех просят уйти.

Он посмотрел на нее.

— Да, да... Сейчас...

И — остался сидеть у могилы.

Но с тех пор каждый раз, когда Алена приходила на кладбище, она находила на могиле своей дочери букет белых роз — точно такой же, какой лежал у той могилы, возле которой сидел тогда этот мужчина.

Однако самого его Алена на кладбище не заставала — то ли он приходил сюда значительно раньше и уходил до ее появления, то ли его не было в Ницце, а цветы сюда привозили по его поручению.

И все-таки они встретились.

Это было в праздник Вознесения, в тот день, когда Алена с букетом цветов пришла на кладбище с утра. Направляясь в глубину кладбища к своей дочери, она увидела этого мужчину возле все той же могилы с фотографией молодой женщины, под этой фотографией лежал букет белых роз. И точно такой же букет уже лежал у могильной плиты Фелиции.

Алена села у могилы дочки, положила свои цветы рядом с белыми розами и услышала у себя за спиной скрип шагов по песку. Этот скрип замер рядом с ней. Алена повернула голову и сказала через плечо:

— Мсье, спасибо за участие в моем горе.

В этот день они вышли с кладбища вместе — Франсуа шел с тростью в руке, оказалось, что он прихрамывает.

На улице напротив кладбищенских ворот стоял темный «роллс-ройс», из машины вышел шофер и распахнул дверцу перед Франсуа. Тот коротким жестом предложил Алене подвезти ее.

— Спасибо, мсье, — сказала она. — У меня своя. Оревуар.

И, сев в свой старенький «рено», покатила домой.

Но «роллс-ройс» двинулся следом, и было просто глупо и невежливо игнорировать это. Через двадцать минут в Ницце они сидели в небольшом и скромно оформленном ресторанчике «Дон Камилло», и Алена, достав из сумочки карманный альбомчик с фотографиями дочки, показывала их Франсуа.

— Ее звали Фелицией, в честь моей бабушки... — сказала Алена. — А вашу жену?

— Мадлен, — сказал он. — Она погибла в Бильбао в том кафе, которое взорвали баскские террористы. Меня ранило в ногу, а ее... Там погибло сорок шесть ни в чем не повинных человек...

## 187

Так они подружились. С тех пор как Алена заплатила за свои полеты самую дорогую цену, какую может заплатить женщина, флирт перестал ее интересовать и мужчины — в своем мужском качестве — потеряли для нее свою притягательность. Но Франсуа, слава Богу, и не претендовал на эту форму отношений, он сам был сражен недавней гибелью жены, и именно эта общность боли сблизила их, как — вне зависимости от пола, возраста и социального статуса — сближает незнакомых людей общая больничная палата или соседство родных могил на кладбище.

Алена никогда не спрашивала Франсуа, кто он, чем занимается, да и виделись они, надо сказать, нечасто — не чаще одного-двух раз в месяц на кладбище. То есть это и дружбой-то трудно было назвать, потому что дружба предполагает какое-то более регулярное и глубокое общение, а здесь были только взгляды, полные взаимного понимания, несколько малозначительных фраз при встречах да минуты родственной печали у дорогих могил. Но именно эти минуты породнили их, и однажды во время непогоды, когда Алена и Франсуа, одетые в куртки с капюшонами, в очередной раз шли с кладбища к своим машинам, Франсуа вдруг сказал:

— Завтра я еду в Страну басков.

— Зачем? — спросила Алена.

— Кто-то должен остановить это безумие, — ответил он. — У вас это Чечня, у англичан — Ольстер, у французов — Корсика, а в Испании — Бискайя. Но сколько это может продолжаться?

— А что вы можете сделать?

— Я кузен принца Монако, и это дает мне особый статус — я посредничаю при осложнениях отношений между разными странами. А в Бискайе... Знаете, в шестидесятые годы там все начиналось с борьбы против режима Франко, который искоренял баскский язык и культуру и посадил в тюрьму элиту страны. Тогда студенты создали подпольную организацию, взрывали франкистских чиновников и генералов. Но сейчас Франко нет, а они все воюют. Почему? Потому что политика — это продолжение экономики. Там ужасная диспропорция — роскошные курорты вдоль берега и нищета басков в горах. И сепаратисты опираются на эти нищие слои. Поэтому я строю там детский оздоровительный центр — больницу, детский сад и спортивный комплекс. В нем будут работать больше сотни врачей, учителей и медсестер. И мне нужен человек, который возглавит этот проект. Я думаю, это работа для вас.

— Для меня?! — изумилась Алена.

— Да.

— Что вы! Я ничего не понимаю в строительстве.

— Строительством будут заниматься профессионалы. А вот вести этот проект и сейчас, и потом... Тут нужен человек с сердцем. С вашим сердцем.

— Спасибо, Франсуа, — печально вздохнула Алена. — Но я уже ни на что не гожусь, я вся сгорела.

## 188

Однако назавтра открытый спортивный «феррари» катил их по автостраде Биарриц — Сан-Себастьян — Бильбао. Справа были волны Бискайского залива, слева — горные вершины Пиренеев, а дорожные указатели извещали, что машина приближается к Бильбао, столице Страны басков, откуда Алена когда-то, на заре своей юности, бежала на заднем сиденье мотороллера за спиной уборщицы отеля, название которого ей уже и не вспомнить...

Бильбао встретил их объятиями мэра города и крупными заголовками на первых страницах всех городских газет:

ГУМАНИТАРНАЯ МИССИЯ ФРАНСУА РЕНО

МОНАКО ДАРИТ БОЛЬНИЦУ БАСКСКИМ ДЕТЯМ

ФРАНСУА РЕНО ПРИВЕЗ 25 МИЛЛИОНОВ ФРАНКОВ
НА СТРОИТЕЛЬСТВО ДЕТСКОГО
ОЗДОРОВИТЕЛЬНОГО ЦЕНТРА В ЗУМАРРАГЕ

Но после формального приема в мэрии, прогулки по Старому городу и ночлега в «Hotel Lopez se Haro» они, сменив «феррари» на простой джип, рано утром укатили в глубь внутренней Бискайи, и Алена своими глазами увидела то, о чем недавно говорил ей Франсуа.

Они ехали по каменистой горной дороге, которую в силу ее дикости не смогли осилить даже римские легионеры. Вокруг была первобытная природа, но не та библейски-умиротворенная, которая свойственна пологим и зеленым холмам юга Испании и Франции, а дикая, гористая, неуютная, с крутыми обвалами в горные пропасти и следами каменистых оползней. На этих горных склонах изредка встречались маленькие села с нищими домишками, как в старых итальянских фильмах, здесь же, на худосочных горных террасах, лепились крохотные виноградники, какие-то старики пасли коз или овец, а дети катались на ослах.

Алена и Франсуа в открытом запыленном джипе проезжали через эти деревни все выше и выше в горы, а за ними пылили автобус и два тягача с грузовыми фургонами — экспедиция Франсуа Рено. На одном из горных перевалов Франсуа сказал что-то шоферу по-баскски и поднял свою трость. Джип, автобус и тягачи остановились.

— Мы приехали? — спросила Алена.

— Нет, я остановился ради вас. Посмотрите сюда.

Справа от перевала простиралась огромная долина выгоревшего дубового леса. Всюду, сколько видит глаз, торчали, как черные пики, высокие и мощные, но обуглившиеся стволы.

Алена удивленно посмотрела на Франсуа.

Он тростью показал ей на голубое пятнышко в центре этого кладбища природы.

— Что это? — спросила Алена.

— Это источник. Он бьет из глубины, и скоро тут будет озеро, а вокруг озера поднимется новый лес. Главное, мон ами, найти в себе источник для жизни... — И Франсуа повернулся к шоферу: — Поехали.

Кортеж покатил дальше — через Памплону, Клавихо... В этих местах почти все встречные мужчины — на ослах ли, на лошадях, в повозках — были вооружены охотничьими ружьями, а все испанские придорожные указатели пробиты пулями, ни одной целой надписи не было на всем протяжении дороги.

— Тут как будто война прошла, — заметила Алена.

— Не прошла, а идет, — поправил Франсуа. — И очень жестокая. Сегодня в Мадриде ЭТА снова взорвала бомбу. Они хотят любой ценой выйти из Испании, стать суверенной страной.

— Как Монако?

Франсуа посмотрел на Алену и ответил после паузы:

— Гм... Мне это не приходило в голову... Но знаете, мы же ради этого никого не взрывали. Монако получило свой статус от Наполеона за то, что наша семья поддержала Бонапарта в самом начале его карьеры и помогла ему выиграть первую битву...

В полдень они въехали в Зумаррагу, баскское село на высокогорном перевале. Суровые дома, сложенные из камней и валунов, стояли тут наполовину заброшенные, а во дворах жилых домов были очевидные приметы бедности — тощая коза на привязи, застиранное белье на веревке, деревянная мотыга у покосившегося каменного крыльца...

Прокатив через Зумаррагу в сопровождении стаи увязавшейся за машинами детворы, кортеж остановился за селом. Из автобуса вышли инженеры, геодезисты, рабочие. Рабочие принялись разгружать грузовики — спускали с них небольшие бульдозеры и прочие механизмы, необходимые для подготовки строительной площадки. Инженеры и геодезисты подошли к джипу.

Франсуа разложил на капоте джипа чертежи будущего оздоровительного центра с красивой больницей, детсадом, спортивным комплексом.

— Вот проект, — сказал он деловито. — Его нужно привязать к этой местности. Я предлагаю... — И он стал показывать тростью на заросший пустырь с завалами камней и зарослями кустарника. — Здесь больница, здесь детский сад, а тут, если засыпать овраги, оздоровительный центр и спортивные площадки. Что скажете?

Инженеры и геодезисты начали обсуждать варианты привязки проекта к местности.

— Нет, — перебил их Франсуа, — так не пойдет. Пошли на площадки!

И несмотря на хромоту, энергично зашагал по пустырю. Инженеры и геодезисты потянулись за ним.

Алена, оставшись у джипа, смотрела, как уверенно и по-хозяйски Франсуа руководит людьми, как вокруг него разом зарождается будущая стройка — геодезисты начинают разметку местности, инженеры что-то обсуждают, рабочие заводят выгруженные бульдозеры, ставят палатки для жилья...

Впрочем, долго бездельничать не пришлось, набежавшая за кортежем сельская детвора окружила джип и Алену, наперебой засыпала ее вопросами по-испански и по-баскски:

— А что тут будет?

— Кино приехали снимать?

— А правда, что тут стадион построят?

Часть вопросов Алена понимала сама, часть ей переводил шофер джипа, и, отвечая, Алена все смотрела на этих детей. Они босы и нищенски одеты, но удивительно красивы — смуглые, темноволосые, с большими глазами... И рука Алены невольно потянулась к маленькой девочке со сливовыми глазами, стала гладить ее по голове.

Неожиданно послышался стук копыт. Алена оглянулась.

На горной дороге со стороны Зумарраги появились два всадника с ружьями за спиной. Они галопом вылетели на пустырь, направляя коней к Франсуа, и остановились буквально в двух шагах от него.

— Вы Франсуа Рено? — спросил один из них по-испански, у него было суровое, в шрамах лицо.

Алена замерла.

— Да, — подтвердил Франсуа.

— А когда вы собираетесь уехать отсюда?

— Как только дам инженерам все инструкции. А что?

— То есть сегодня?

— Да, конечно.

— Боюсь, что это вам не удастся.

Франсуа нахмурился:

— Почему?

— Вы наш гость. По нашим законам. гость не может уехать без ужина.

## 189

Суровый всадник оказался старостой Зумарраги, и через час Алена и Франсуа попали туда, куда баски позволяют заглянуть только особо почетным гостям. Оказалось, что за перевалом от горной дороги отходит почти неприметная тропа, которая, как кажется издали, ведет к пропасти, а на самом деле — к довольно крутому обрыву, за которым совершенно неожиданно начинается высокогорный рай — густой кедровый и сосновый лес, упоительный горный воздух, пение птиц и то особое сухое, солнечное тепло, которое бывает только в высокогорных лесах, где обитают дятлы, перепелки, фазаны и архары.

— Стоп, — сказал староста на окраине этого лесного рая, — мы пришли. Дальше вы идете сами. Желаю удачной охоты.

И, вручив Франсуа и Алене по охотничьему ружью, староста и его помощник ушли, а Алена и Франсуа углубились в лес.

Они шли по узкой тропе, впереди Алена, за ней, прихрамывая и опираясь на трость, Франсуа. Вокруг была лесная тишина, наполненная перекличкой птиц, трепетом листвы и звоном цикад.

Неожиданно прямо перед ними возникла лань, стоявшая на тропе. Она в упор смотрела Алене в глаза.

— Стреляй... — шепотом произнес Франсуа.

Алена, задержав дыхание, медленно подняла ружье.

Но лань не испугалась, а своими огромными сливовыми глазами продолжала смотреть ей в глаза.

И Алена опустила ружье.

Лань, повернувшись, прыжком исчезла в лесных зарослях, некоторое время был слышен хруст веток под ее копытами.

— Почему вы не стреляли? — удивился Франсуа.

— Она так смотрела... — задумчиво произнесла Алена. — Знаете, Франсуа... Я хочу побывать в том кафе, где погибла ваша жена.

— О, его уже нет, там все перестроили.

— Все равно. Я хочу отнести туда цветы.

А вечером в Зумарраге состоялась фиеста. С десяток басков в высоких папахах и костюмах, похожих на черкески, плясали на деревенской площади под звуки бубна и еще каких-то национальных инструментов. За длинным столом с домашним вином, овечьим сыром, зеленью и другими простыми закусками Франсуа и Алена, сидя в окружении сельчан, аплодировали танцорам. А те все ускоряли и ускоряли темп своего танца...

— Мне кажется, они похожи на наших грузин, — заметила Алена по-французски.

— Это действительно одна из версий их происхождения, — ответил Франсуа. — Говорят, что баски — это грузинские кочевники, которые пришли сюда пару тысяч лет назад...

Тут один из танцующих басков подлетел к Алене и, приплясывая перед ней, стал приглашать ее на танец. Алена отказывалась, но он настаивал, и все вокруг шумно поддержали его. Алена встала и, выступая медленной русской павой, пошла в круг басков, отбивающих каблуками стремительный танец, похожий на лезгинку.

Все сельчане встали, наблюдая за этим танцем, а Алена, танцуя, вдруг увидела, как с гор, из темноты вышли несколько басков, вооруженных ружьями, подошли к Франсуа, один из них нагнулся и что-то сказал Франсуа на ухо. Франсуа отрицательно покачал головой. Но баски настаивали. Франсуа встал и, прихрамывая, пошел с ними. Баски окружили его и увели с площади.

Алена встревоженно подошла в танце к старосте. Тот негромко сказал:

— Не беспокойтесь, он скоро вернется.

Но время шло, танцы закончились, наступил темный безлунный вечер. Алена продолжала сидеть за столом в окружении басков, многие из которых были уже пьяны. Они открыто поедали Алену глазами, провозглашали тосты в честь ее красоты и настаивали, чтобы она пила с ними. А Франсуа все не было. Алена в беспокойстве ерзала на скамье, вертела головой и вглядывалась в темноту в той стороне, куда увели Франсуа...

Это было напряженное и тревожное ожидание.

Наконец группа басков появилась в этой темноте, и Алена даже вскочила от испуга. Они не то несли, не то волокли Франсуа — разведя руки в стороны, он висел на плечах двух басков.

Алена ринулась к ним, крича по-французски:

— Что вы с ним сделали?

— Ничего, ничего... — смущенно сказал ей Франсуа. — Это я сам... Я споткнулся и подвернул больную ногу...

— Это правда? — переспросила она с подозрением.

— Клянусь.

Алена облегченно перевела дух.

Баски дотащили Франсуа к столу, осторожно посадили на скамью.

— Где вы были? — сказала Алена, успокаиваясь. — Я так волновалась!

Франсуа взял ее за руку:

— Спасибо... Потом расскажу...

Это «потом» наступило только через несколько дней, когда они спустились с гор и лежали на пляже у Сан-Себастьяна. Тихие волны не спеша подкатывали к берегу, смывая напряжение горной экспедиции.

— Я встречался с лидерами сепаратистов, — признался Франсуа. — Мы обсуждали возможности мирного решения противоречий. Конечно, это медленный процесс, но, может быть, мне удастся что-то сделать. Во всяком случае, этой стройкой я завоевал их доверие. А это уже немало. Поэтому на Корсике я сделаю то же самое, я и там построю детскую больницу...

И его пальцы тихо, почти неслышно коснулись руки Алены и медленно, крайне медленно, словно вопрошающе, стали подниматься по ее локтевому сгибу... по плечу... по шее...

Алена, лежа на песке, закрыла глаза и увидела солнечно-радужный окоем вокруг своих ресниц.

Ни она, ни Франсуа не обратили, конечно, в этот момент внимания на то, что один из гулявших по пляжу курортников оглянулся на них, целующихся, и остановился, вглядываясь в Алену. Правый глаз у этого мужчины был закрыт черной кожаной повязкой, это был одноглазый начальник службы безопасности короля Марокко.

## 190

По случаю очередного выдающегося события в культурной жизни Лазурного берега — сольного концерта Мстислава Ростроповича в Ницце — на вилле наследного принца Монако состоялся пышный прием, на котором Франсуа подвел Алену и Маргариту к членам королевской семьи и маэстро.

— Кузен, — сказал он принцу, — позволь тебе представить: мадемуазель Алена Бочкарева, она ведет мой испанский проект.

— Я рад за тебя, Франсуа, — улыбнулся принц.

— А это мадам Маргарита Цой, ее кузина.

— О, мадам! — сказал принц. — Мы знакомы, не так ли?

Маргарита зарделась от гордости.

— У вашего высочества прекрасная память!

— Маэстро, — повернулся Франсуа к Ростроповичу, — специально к вашему приезду мы выписали из России двух ее самых прекрасных дам. Позвольте вам представить: Алена и Маргарита...

— Девчонки, — сказал маэстро по-русски, — вы даже не можете себе представить, как я рад, что вы тут оказались! Так надоело все время пить с монархами в одиночку, без русской компании!

А позже, во время ужина, накрытого в парке, Франсуа, поднявшись с бокалом, обратился к Маргарите:

— Мадам, поскольку родители Алены очень далеко, в России, а вы тут представляете ее семью, я хочу попросить у вас руки вашей кузины...

Все зааплодировали, а Ростропович склонился к Маргарите:

— А что, Ритуся? Мне кажется, он нам подойдет... — И по-французски ответил за нее Франсуа: — Так и быть, мсье! Мы тут посовещались и даем свое благословение. Ваше высочество, — обратился он к принцу, — по русскому обычаю за молодых нужно выпить стоя и до дна!

## 191

Торговый центр «Кап труа миль» в Ницце отличается от всех других фешенебельных торговых центров тем, что по огромному залу молодые продавцы разъезжают на роликовых коньках. Говорят, эта идея родилась когда-то оттого, что местные пацаны заезжали сюда на роликовых коньках, хватали с витрин первое, что попадало под руку, и «делали ноги», то есть удирали на своих коньках со скоростью, недоступной никаким полицейским. И тогда менеджер центра решил вместо того, чтобы ловить эту шпану, пригласить ее на работу. Теперь эти вышколенные молодцы на коньках являются одним из аттракционов побережья и привлекают в центр тысячи покупателей...

Не успела Алена остановиться у витрины со свадебными платьями и украшениями, как к ней уже подлетел юный продавец на коньках:

— Мадемуазель, вам помочь?

— Нет, спасибо. Я пока просто присматриваюсь...

Продавец откатил, но за спиной у Алены тут же прозвучал другой мужской голос:

— Мадемуазель, а когда у вас свадьба?

Алена резко повернулась и нахмурилась:

— Это ты? Что ты тут делаешь?

— Приехал поздравить тебя, — по-русски ответил Красавчик. — Ты же входишь в королевскую семью. И если тебе нужна моя помощь...

— Мне не нужна твоя помощь! — резко перебила Алена. — И вообще, ты из другой жизни, она закончилась, и оставь меня в покое!

Красавчик снял с лица обаятельную улыбку, перешел на деловой тон:

— Ладно, оставлю. Если ты окажешь мне последнюю услугу.

— Что? — возмутилась Алена. — Опять? Нет!

И хотела уйти, но Красавчик заступил ей дорогу.

— Алена! Ты ведь даже не знаешь, о чем...

— Нет! — снова перебила она. — Ты для меня больше не существуешь!

Он взял ее за руку:

— Но я же для тебя столько сделал!

Алена вырвала руку и повысила голос:

— Что ты сделал? Что? Ты изуродовал мне жизнь!

Молодой продавец поспешил к ним на шум, спросил по-французски:

— Мадемуазель, тут какие-то проблемы?

— Нет, мсье, — по-французски ответил ему Красавчик, глядя Алене в глаза. — У нас уже нет проблем.

И, повернувшись, быстро ушел.

Алена с негодованием смотрела ему вслед. Неужели он никогда не отвяжется от нее?

## 192

Конечно, богатые тоже плачут, но кто им сочувствует?..

Нет, простите, об этом я уже спрашивал.

А вы были на Лазурном берегу?..

Впрочем, и это мы уже обсуждали.

Что ж, тогда представьте, что в этом раю вы выходите замуж. Да, вам двадцать два года, все параметры в норме, вы натуральная блондинка, и две портнихи и стилист примеряют на вас свадебные платья, привезенные ими из «Кап труа миль» на виллу «Марго» в Вильфранш-сюр-Мер.

Возле зеркала, перед которым Алена порхала, как Наташа Ростова + Одри Хёпберн + Людмила Савельева в «Войне и мире», стоял компьютер-«лэптоп» с небольшим экраном и с глазком видеокамеры, и Алена периодически подлетала к этому объективу:

— Мон амур, как тебе это платье?

А с экрана Франсуа, стоя за штурвалом скоростного катера, летящего по Средиземному морю, просил:

— Повернись вокруг, любовь моя.

И Алена поворачивалась так и эдак и с бедром взакрут, зная, что он любуется ею там, на экране своего «лэптопа», и он говорил:

— Н-да... Знаешь, мон амур, предыдущее платье мне нравилось больше, потому что его было меньше...

А тем временем по петляющей Верхней дороге из Ниццы в Вильфранш, мимо рождественской рекламы, катил грузовичок экспресс-почты «DHL», и пока Алена меняла платья и спрашивала: «Милый, а где ты сейчас?» — а Франсуа сообщал: «Я хочу тебя как безумный и лечу к тебе с Корсики!» — именно в этот момент грузовичок с надписью «DHL» подкатил наконец к воротам виллы. Шофер в красном колпаке Санта-Клауса, странном для солнечной погоды Лазурного берега, вышел из кабины с фирменным пакетом в руке, нажал кнопку звонка рядом с табличкой «Вилла "Марго"». Служанка открыла калитку, хотела принять пакет, но шофер объяснил, что это новогодний презент для невесты, она должна получить его лично и расписаться.

Через минуту Алена приняла пакет, с удивлением читая надпись:

**PERSONNEL ET CONFIDENTIEL**
**FOR YOUR EYES ONLY**

В пакете оказалась видеокассета без всякой надписи или наклейки. С недоумением вертя этот странный подарок, Алена вернулась в комнату, и Франсуа с экрана «лэптопа» спросил:

— Что это, мон ами?

— Понятия не имею...

— Будь осторожна...

— Буду. — Алена повернулась к портнихам: — Перерыв, можете отдохнуть! — И в камеру: — Милый, я тебе перезвоню через пару минут.

Она выключила телекамеру, вставила кассету в видеомагнитофон и увидела на экране телевизора себя, только много-много лет назад, когда ей было всего семнадцать и когда она, совершенно обнаженная, «столиком» стояла в тверском клубе «Монте-Карло», а какой-то мужик нагибался к ней, заговаривал, лапал за грудь и предлагал дернуть с ним шампанского...

Алена в ужасе смотрела на экран, а там уже было новое изображение: она же на видеозаписи в «Бюро "Женихи из Европы"» — с российской прической-укладкой, в крупной бижутерии и в дешевом платье в обтяжку, неумело позируя, говорит прямо в камеру:

— Дорогой незнакомый жених! У меня много поклонников, но замужем я еще не была. Потому что мой главный принцип: умри, но не отдай поцелуя без любви.

А оператор, не выключая камеру, требует за кадром:

— Раздеться надо. Думаешь, женихи что? За красивые глаза будут тебя выбирать? Давай раздевайся по-быстрому!

— Совсем, что ли? — в сомнении спрашивает семнадцатилетняя Алена, начиная раздеваться.

— Конечно! — отвечает оператор. — Я же снимаю! Быстрей!

Алена спешно раздевается, и за кадром раздается жеребячий хохот всей киногруппы...

И сразу встык с этими кадрами вдруг возникает небольшой, в английском стиле, зал для совещаний, обставленный старинной мебелью, со свечами на красивых мраморных консолях и длинным столом, на котором в свободно-интимной позе сидит полуголая Алена и чокается бокалом с Гжельским.

— Вот тебе за сегодняшнюю работу, — говорит ей Гжельский и кладет на стол десять стодолларовых купюр...

Писк мобильного телефона прервал этот просмотр, Алена остановила кассету и из сумочки достала звенящую трубку.

— Алло!

— Привет, красавица! — прозвучал в трубке голос Красавчика. — Ты уже все посмотрела?

— Что тебе нужно? — холодно спросила Алена.

— Нам нужно увидеться. Я жду тебя вечером в Париже, на Елисейских полях, в ресторане «Фукетс».

— Я не могу. Я занята.

— Если ты не приедешь, завтра твой жених получит ту же пленку.

— Ты мерзавец!

— Возможно. Но это не меняет наших планов. Восемь вечера, ресторан «Фукетс».

— Я тебя убью!

— Конечно, дорогая. Вечером на Шанз Элизе! — И в трубке прозвучали гудки отбоя.

Сообщив изумленному Франсуа о своей срочной, но недолгой поездке в Париж и пообещав ему к полуночи вернуться, Алена, сдерживая бешенство, уже через двадцать минут неслась в открытом «мерседесе» из Вильфранша в Ниццу, украшенную еще не снятой рождественской иллюминацией. Рядом с Аленой на пассажирском сиденье лежали ее норковая шубка и сумочка с пистолетом.

В аэропорту, на поле для частных самолетов, она пересела в небольшой реактивный «Гольфстрим», принадлежащий Франсуа, и самолет, взлетев, развернулся над морем и поплыл на север...

«Господи! — думала Алена, глядя в иллюминатор и не видя за ним ничего. — Какая же я идиотка! Этого мерзавца, негодяя и подлеца я называла принцем и любила всю жизнь...»

## 193

В Париже был снег, новогодняя иллюминация и праздничная суматоха. Уличные торговцы в красных костюмах Санта-Клауса продавали горячие жареные каштаны, дети катались в скверах на осликах.

Набросив норковую шубку и велев пилоту «Гольфстрима» ждать ее, Алена на такси поехала из аэропорта к центру. Занятая своими мыслями, она не замечала, что на всем пути от Орли ее сопровождала еще одна машина — черный «фиат». Впрочем, ни такси, ни «фиат» до Елисейских полей не добрались — украшенная миллионами лампочек и гирлянд Шанз Элизе уже был оцеплена полицейскими барьерами.

— Мадам, — сказал таксист, — дальше нам не проехать, тут все перекрыто в связи с новогодним карнавалом.

— Хорошо, я пойду пешком.

Алена расплатилась с таксистом, он пожелал ей счастливого Нового года, и она пошла к Елисейским полям.

Следом за ней двигался мужчина с черной повязкой на правом глазу.

Вокруг были потоки предновогодней толпы, тысячи туристов и парижан запрудили все тротуары, в распахнутых дверях роскошных магазинов стояли зазывалы в костюмах Санта-Клауса. Они названивали в колокольчики, поздравляли прохожих с наступающим Новым годом и на всех языках мира зазывали в магазины за последними покупками...

Алена подошла к ресторану «Фукетс».

— Мадемуазель? — сказал ей швейцар.

— Меня там ждут.

Он открыл дверь:

— Прошу вас...

В ресторане еще было пусто, но столы уже были накрыты к празднику, и музыканты тихо играли, готовясь к длинному и бурному новогоднему вечеру.

Войдя в зал, Алена тут же увидела Красавчика.

Празднично одетый в черный смокинг, он сидел в центре зала, лицом к двери, за столиком, украшенным цветами и ведерком с шампанским. Увидев Алену, он встал и, глядя ей в глаза, улыбнулся своей неотразимой улыбкой.

— Здравствуй, дорогая. Спасибо, что прилетела.

— Здравствуй, Игорь, — сдержанно сказала она.

Приняв у нее шубку, он подвинул ей стул.

Алена села за столик, сняла перчатки, положила их в сумочку.

— Ты прекрасно выглядишь, — сказал он, садясь напротив.

— Ты тоже. Чего ты хочешь?

Алена достала из сумочки сигареты, он предложил ей огонь.

— Я не знал, что ты куришь...

— Я спешу, — перебила Алена. — Чего ты хочешь?

— Я хочу с тобой попрощаться.

Красавчик сделал знак официанту, тот подошел и налил им шампанское в бокалы.

А за окнами ресторана публика все прибывала и прибывала на Шанз Элизе, там готовилось новогоднее шествие.

Красавчик поднял бокал:

— У меня есть тост. Я хочу выпить за нас с тобой. А точнее — за тебя. Ты — лучшее, что было в моей жизни...

Алена саркастически усмехнулась:

— Спасибо. И все-таки тебе от меня что-то нужно. Не так ли?

— Да, дорогая.

— Что?

— Один танец, — сказал он с улыбкой.

Алена молча смотрела ему в глаза. Во всем его облике была уверенность в его неотразимости и власти над ней, и глаза его излучали все тот же, как тысячу лет назад, лукавый и обволакивающий свет.

— Понимаешь, дорогая, — сказал он, посмотрев в окно, — через несколько часов настанет новый год и начнется твоя новая жизнь. Наверно, мы больше никогда не увидимся. Но сегодня, пока ты здесь... Помнишь Испанию, твой день рождения? Мы танцевали танго, но нас прервали, помнишь? Я хочу, чтобы мы его дотанцевали. Пусть это будет наш последний танец. Пойдем.

Он встал, но Алена, продолжая сидеть, испытующе глядела ему в глаза. Это была дуэль взглядов и схватка двух игроков, знающих свою силу и просчитавших всю партию наперед.

Алена улыбнулась своей самой неотразимой улыбкой.

— Ты все врешь. Но... Пошли!

Он взял ее за руку, подвел к танцевальной площадке и отошел к оркестру, сказал что-то дирижеру и положил на его пюпитр крупную купюру.

Оркестр тут же заиграл то испанское танго, которое было прервано полицией в ресторане «Марбелья клаб» в день семнадцатилетия Алены.

Красавчик взял Алену за талию и повел в танце с уверенностью «мужчины жизни», снова утвердившего свою власть над Аленой. Эта уверенность сквозила в каждом движении его рук и даже пальцев, которыми он заставлял Алену повиноваться его шагам, поворотам и наклонам тела. А Алена... Алена была в эти минуты воплощением гибкой и податливой рыси, выжидающей мига для рокового прыжка. С загадочной полуулыбкой на губах она и слушалась Красавчика, и чуть отстранялась от него, выдерживая ту дистанцию, которая обещает близость, но еще не дает ее.

Так они танцевали — в еще пустом ресторане, мозг и музыка контролировали каждый их шаг и жест. Красавчик пытался добиться того, чтобы Алена оплыла в его руках и сдалась, а Алена, чуть-чуть отстраняясь, дразнила партнера, фигурой и насмешливой улыбкой выражая свой лукавый вызов его непререкаемой власти.

Музыканты заметили эту дуэль, включились в нее своими смычками и клавишами. Следя за их танцем, они стали акцентировать его переходы и па, и заметили, что оба дуэлянта, касаясь друг друга то грудью, то ногами, с какого-то момента вдруг забыли о своей дуэли и зажглись уже не искусственной и наигранной, а подлинной страстью и вожделением.

Воодушевившись этим открытием, музыканты поддали, что называется, жару, взяли своей темпераментной музыкой верх над этими танцорами и повели их к самозабвению.

У Алены приоткрылись губы и углубилось дыхание.

Красавчик прильнул к Алене, они обнялись, преодолев все барьеры и дистанции, и это было уже полное, слитное, страстное объятие в танце с синхронностью каждого движения, как при полной физической близости.

Перед глазами Алены замелькали люстры... зеркала... и ее детские на стене рисунки Принца... и огромные окна ресторана «Фукетс», за которыми начиналось шумное новогоднее шествие... и глаза Красавчика... и какие-то давно забытые мужские лица, прилипшие с наружной стороны к окнам ресторана, лица, похожие на лицо пакистанца Джамила, которому Красавчик втюрил когда-то бомбу для Бен Ладена...

Но Алена не узнала Джамила, она продолжала танцевать с Красавчиком, зажигая его и зажигаясь сама.

Музыка оборвалась, танго закончилось, музыканты негромко похлопали танцорам, Красавчик и Алена, обнявшись, пошли к своему столику, он интимно сказал по дороге:

— Здесь полно отелей, пошли...

— Нет, побежали! — страстно шепнула она и подхватила со стула свою сумочку и норковую шубку.

А Красавчик по-французски сказал подскочившему официанту:

— Мсье, мы скоро вернемся.

— Не спешите, — понимающе усмехнулся тот. — Успехов!..

Взявшись за руки, словно влюбленные школьники, Алена и Красавчик почти бегом выскочили из ресторана и — сквозь толпу новогоднего шествия — с хохотом понеслись сначала по Шанз Элизе, потом свернули в боковую улицу и вбежали в первый попавшийся отель.

— Любую комнату! — Красавчик положил на стойку администратора свою кредитную карточку и тысячу франков.

— Мсье, — сказал администратор, — Новый год, все забито.

Красавчик молча положил на стойку еще тысячу франков... еще...

Администратор потянулся к доске с ключами, висевшей на стене у него за спиной.

— Быстрей! — сказал Красавчик.

Администратор снял ключ с крючка с номером 45.

— Комната 45, третий этаж...

Красавчик и Алена, держась за руки, побежали вверх по лестнице, ворвались в номер и, даже не раздевшись до конца, бросились в кровать.

Это было какое-то звериное, животное нетерпение растерзать и уничтожить друг друга... которое затем, совершенно неожиданно для игроков, холодно разыгравших всю предыдущую видимость вспыхнувшей страсти, вдруг перешло в истинно трепетное вожделение и ненасытное нежное слияние, апофеоз их пятилетней борьбы и любви...

А когда наконец это первое нетерпение было удовлетворено, Красавчик потянулся рукой к сумочке Алены, открыл ее, достал пистолет и протянул его Алене.

— Ну... Теперь ты можешь меня убить...

Алена посмотрела ему в глаза.

— Ты же за этим прилетела, — сказал он.

— Дай сигарету, — попросила она.

Красавчик достал из ее сумочки сигареты, они оба закурили.

— Знаешь, — сказал Красавчик, затягиваясь, — я хочу признаться в том, что скрывал даже от себя. Оказывается... я тебя люблю...

— Не ври... — тихо сказала Алена.

— Я смеялся над собой, — продолжал он, — и говорил себе, что, как профессионал, не имею на это права...

У Алены на глазах появились слезы.

— Замолчи, прошу тебя!

— Но это оказалось выше профессии, — продолжал он. — И где бы я ни был, с кем бы я ни был...

— Перестань, Принц! — попросила она.

— Нет, я уже не принц. Ты нашла себе настоящего принца, а я так... Но к твоей свадьбе я приготовил подарок. Знаешь какой? Пленки, которые я тебе послал... можешь не беспокоиться, я их уничтожил. Кроме тебя, их уже нет ни у кого. Ты чиста, дорогая. Будь счастлива...

Он стал целовать ее, и она замерла со слезами на лице и обняла его, снова воспламеняясь и воспламеняя его, и теперь это были объятия прощания и близости — терпкие и страстные, плотские и возвышенные, бурные и трепетные, — со слезами и поцелуями, с надрывом и болью, со сладостью полного соития и безжалостным проникновением плоти в плоть.

А за окном на Шанз Элизе уже шло новогоднее шествие, там трещали тысячи трещоток, пищали пищалки, гремела музыка и взрывались петарды. И сквозь эту суматоху, шум и новогоднее ликование толпы шли двое — одноглазый начальник службы безопасности королевства Марокко и пакистанец Джамил, оба в глухих широких пальто.

А на третьем этаже отельчика «Марсель» Алена и Красавчик любили друг друга — страстно, бурно, всласть, как перед разлукой навсегда...

Одноглазый и Джамил вошли в отель, администратор поднялся им навстречу:

— Мсье, ни одного номера...

Приставив к его уху пистолет, одноглазый бросил взгляд на доску с ключами от номеров. На доске висели все ключи, только крючок с номером 45 был пуст. Выстрелом из пистолета одноглазый расколол голову администратору и вместе с Джамилом пошел к лестнице.

А наверху, в сорок пятой комнате, Красавчик наконец действительно любил Алену — пылко и нежно, как единственную женщину в своей жизни. И Алена, обнимая его, твердила:

— Милый... милый... Ты такой нежный, сильный, горячий... Я летаю... Я хочу быть с тобой всегда...

— Мы будем... Будем... — обещал он в такт своему дыханию. — Ты самая сладкая... Только ты, и никто больше...

Но — ударом ноги одноглазый и Джамил уже сорвали с петель дверь их номера, вошли в комнату, распахнули пальто и из двух короткоствольных автоматов в упор выпустили по нашим любовникам обе обоймы — так, что пух из подушек полетел на их окровавленные тела и штукатурка посыпалась на них со стен...

А рядом по Шанз Элизе все катило и катило шумное новогоднее шествие — с музыкой, петардами. И огненные шары гигантского фейерверка рассыпались над всем Парижем. И часы пробили двенадцать. И тысячи незнакомых людей бросились на Елисейских полях в объятия друг к другу и стали целоваться, поздравляя друг друга с Новым годом. И гремела музыка. И летели вверх пробки от бутылок шампанского. И в ресторане «Фукетс» метрдотель сказал официанту, показывая на столик Красавчика и Алены:

— Что-то долго их нет.

— Они придут, придут, — заверил его официант. — Они обещали.

На столике, за которым сидели Красавчик и Алена, томилась в ведерке початая бутылка шампанского и стояли два хрустальных бокала с недопитым вином.

*Москва — Майами*
2000–2001

**Конец**

## Содержание

Том второй. **Бомба для Бен Ладена, или Последний танец** ........ 3

Часть девятая. **Бомба для Бен Ладена** ........ 5

Часть десятая. **Родная кровь** ........ 59

Часть одиннадцатая. **Монегаск** ........ 93

Часть двенадцатая. **«Шанель № 5»** ........ 129

Часть тринадцатая. **Побег** ........ 165

Часть четырнадцатая. **Выкуп** ........ 197

Часть пятнадцатая. **Цена** ........ 243

Часть шестнадцатая. **Последний танец** ........ 285

Вместо эпилога ........ 315

## КНИГИ Эдуарда ТОПОЛЯ

**КРАСНАЯ ПЛОЩАДЬ** — 1982-й год. Расследование загадочной гибели первого заместителя Председателя КГБ приводит к раскрытию кремлевского заговора и дает живую и достоверную панораму жизни советской империи. Роман предсказал преемника Брежнева и стал международным бестселлером и классическим политическим триллером.

**ЖУРНАЛИСТ ДЛЯ БРЕЖНЕВА** — исчезновение известного журналиста «Комсомольской правды» ведет следователей в самые теневые области советской экономики, коррупции и наркоторговли. Лихой детектив с юмористическими эпизодами, перекочевавшими в фильм «Черный квадрат» и др.

**ЧУЖОЕ ЛИЦО** — романтическая любовь русского эмигранта и начинающей американской актрисы, заброшенных в СССР со шпионской миссией. Трогательный и захватывающий триллер на фоне последней декады холодной войны, создания суперсекретных вооружений и совковой жизни.

**КРАСНЫЙ ГАЗ** — череда загадочных убийств в Заполярье ставит под угрозу открытие транссибирского газопровода. Классический детектив на фоне леденящей заполярной экзотики и горячих сердечных страстей.

**ЗАВТРА В РОССИИ** — покушение на Горячева, Генерального секретаря ЦК КПСС, ставит под угрозу будущее всей России. Роман, опубликованный в США в 1987 году, с точностью до одного дня предсказал путч ГКЧП и все перипетии антигорбачевского заговора, вплоть до изоляции Горбачева на даче. Политический триллер, любовный треугольник и первая попытка предугадать судьбу перестройки.

**КРЕМЛЕВСКАЯ ЖЕНА** — получив предупреждение американского астролога о возможности покушения на президента СССР, его жена и следователь Анна Ковина пытаются спасти президента и раскрывают очередной кремлевский заговор. Политический детектив в сочетании с романтической любовной историей.

**РОССИЯ В ПОСТЕЛИ** — книга-шутка, ставшая классикой эротической литературы о сексе в СССР.

**РУССКАЯ СЕМЕРКА** — две американки приезжают в СССР, чтобы с помощью фиктивного брака вывезти последнего отпрыска старого дворянского рода. А он оказывается «афганцем»... Суровая правда о солдатах-«афганцах» в сочетании с неожиданной любовью и чередой опаснейших приключений.

**ЛЮБОЖИД** — роман о русско-еврейской любви, ненависти и сексе. Первый том «Эмигрантской трилогии».

**РУССКАЯ ДИВА** — вариант романа «Любожид», написанный автором для зарубежного издания. От «Любожида» отличается более напряженной любовной историей. Автор ставит этот роман выше «Любожида».

**РИМСКИЙ ПЕРИОД, или ОХОТА НА ВАМПИРА** — первые приключения русских эмигрантов на Западе, роковой любовный треугольник, драматическая охота за вампиром-террористом. Второй том «Эмигрантской трилогии».

**МОСКОВСКИЙ ПОЛЕТ** — после двенадцати лет жизни в США эмигрант возвращается в Россию в перестроечном августе 1989 года и ищет оставленную здесь женщину своей жизни. Сочетание политического триллера и типично тополевской грустно-романтической любовной драмы. Последний том «Эмигрантской трилогии».

**ОХОТА ЗА РУССКОЙ МАФИЕЙ, УБИЙЦА НА ЭКСПОРТ** — короткие повести о «русской мафии» в США. Документальны, аутентичны и по-тополевски лиричны.

**КИТАЙСКИЙ ПРОЕЗД** — сатирически-политический триллер о последней избирательной кампании Ель Дзына и его ближайшего окружения — Чер Мыр Дина, Чу Бай-Сана, Тан Эль, Ю-Лужа и др. Американский бизнесмен прилетает в Россию в разгар выборов президента, попадает в водоворот российского политического и криминального передела и находит свою последнюю роковую любовь...

**ИГРА В КИНО** — лирические мемуары о работе в советском кино и попытках пробиться в Голливуд. Книга по-тополевски захватывает с первой страницы и подкупает своей искренностью. В сборник включены юношеские стихи, рассказы для серьезных детей и несерьезных взрослых.

**ВЛЮБЛЕННЫЙ ДОСТОЕВСКИЙ** — сборник лирических повестей для кино и театра: «Любовь с первого взгляда», «Уроки музыки», «Ошибки юности», «Влюбленный Достоевский» и др.

**ЖЕНСКОЕ ВРЕМЯ, или ВОЙНА ПОЛОВ** — роман об экстрасенсах, сочетание мистики и политики, телепатии и реальных любовных страстей.

**НОВАЯ РОССИЯ В ПОСТЕЛИ** — пять вечеров в борделе «У Аннушки», клубные девушки, интимные семинары в сауне молодых психологов и психиатров, опыт сексуальной биографии 26-летней женщины и многое-многое другое... — вот феноменальная исповедь молодого поколения, записанная автором и собранная им в мозаику нашей сегодняшней жизни.

**Я ХОЧУ ТВОЮ ДЕВУШКУ** — два тома драматических, лирических и комических историй о любви, измене, ревности и других страстях.

**СВОБОДНЫЙ ПОЛЕТ ОДИНОКОЙ БЛОНДИНКИ** — два тома захватывающих приключений русской девушки в России и Европе — роковая любовь, криминальные авантюры, нищета и роскошь, от тверской деревни и Москвы до Парижа, Марбельи, Канн и Монако...

**КНИГИ ЭДУАРДА ТОПОЛЯ — ТАЛАНТЛИВАЯ, ВСЕОБЪЕМЛЮЩАЯ, ДРАМАТИЧЕСКАЯ И КОМИЧЕСКАЯ ЭНЦИКЛОПЕДИЯ ЖИЗНИ СОВЕТСКОЙ И ПОСТСОВЕТСКОЙ РОССИИ**